AN ELEMENTAR

CLASSICAL ARABIC READER

AN ELEMENTARY CLASSICAL ARABIC READER

BY

M. C. LYONS

Fellow of Pembroke College and Lecturer in Arabic in the University of Cambridge

CAMBRIDGE
AT THE UNIVERSITY PRESS
1962

PUBLISHED BY
THE SYNDICS OF THE CAMBRIDGE UNIVERSITY PRESS

Bentley House, 200 Euston Road, London, N.W. 1
American Branch: 32 East 57th Street, New York 22, N.Y.
West African Office: P.O. Box 33, Ibadan, Nigeria

INTRODUCTION

The purpose of the present work is to offer an introduction to the reading of classical Arabic. The passages which it contains are, in the main, relatively simple continuous narratives, adapted in places by omissions. To these have been added some short poems or fragments of poems. It is not claimed that the passages are representative of what is held by the Arabs to be the purest or finest Arabic style. The object of their selection has been to provide something that may be of interest to European students, to whom too often the literature of classical Arabic both appears and is represented as being aridly obscure. It is hoped that the study of this may not only help them to master the language, but also offer them some inducement to explore for their own satisfaction the range of its literature.

The passages are derived from the following sources (the numbers correspond to the sections in the book):

1 al-Ṭabarī, *Ta'rīkh al-Rusul wa'l-Mulūk*.
2 The Fables of Luqmān.
3 *Alf Laila wa Laila*.
4 Ibn al-Muqaffa', *Kalīla wa Dimna*.
5 al-Suyūṭī, *Ta'rikh al-Khulafā'*: Tha'lab, *Majālis*.
6 Ibn Khallikān, *Wafayāt al-A'yān*.
7 Ibn Abd al-Ḥakam, *Futūḥ Ifrīqīya wa'l-Andalūs*.
8 al-Qazwīnī, *'ajā'ibu'l-Makhlūqāt*.
9 *Kitāb al-Aghānī*.
10 al-Ṭabarī, *Ta'rīkh al-Rusul wa'l-Mulūk*.
11 Usāma ibn Munqidh, *Kitāb al-I'tibār*.
12 al-Bīrūnī, *Ta'rīkh al-Hind*.
13 *Kitāb al-'uyūn wa'l-Ḥadā'iq*.
14 Ibn Abi Usaibi'a, *'uyūnu'l-Anbā' fī Tabaqāt al-Ḥukumā'*.

15 Ibn Ḥazm, *Tauq al-Ḥamāma*.

16 Ibn Faḍlān, *Risāla*.

17 Ibnu'l-Athīr, *al-Kāmil fī'l-Ta'rīkh*.

18 al-Ma'arrī, *Risālat al-Ghufrān*.

19 al-Tanūkhī, *Nishwār al-Muḥāḍara*.

20 al-Niffarī, *Kitāb al-Mawāqif*.

CONTENTS

ERRATA

Page v, line 20: for *Ta'rikh* read *Ta'rīkh*.

for Tha'lab read Tha'lab.

line 22: for *Andalūs* read *Andalus*.

Page vii, line 16: for Isḥaq read Isḥāq.

Page 27, line 20: for الّٰهى read إلٰهى.

Page 47, line 8: for كلّاهما read كلاهما.

Page 51, line 1: for Isḥaq read Isḥāq.

Page 54, line 2: for صادّقاً read صادقًا.

Page 59, line 8: for الضّ read الضّر.

Page 73, line 3: for فأنّا read فأنَا.

Page 77, line 2: for المتنّبئ read المتنّبى.

Page 83, line 15: for امّر read أمْر.

Page 86, line 13: for أيْلُول read أَيْلُول.

Page 223, line 25: for مثيا read ميتا.

Page 232, line 1: for Isḥaq read Isḥāq.

ERRATA

Page 4, line [illegible], for [illegible] read [illegible]

" [illegible] for [illegible] read [illegible]

" line [illegible] for [illegible] read [illegible]

Page [illegible], line [illegible], for [illegible] read [illegible]

Page [illegible], line [illegible], for [illegible] read [illegible]

Page [illegible], line [illegible], for [illegible] read [illegible]

Page [illegible], line [illegible], for [illegible] read [illegible]

Page [illegible], line [illegible], for [illegible] read [illegible]

[illegible]

Page [illegible], line [illegible], for [illegible] read [illegible]

Page [illegible], line [illegible], for [illegible] read [illegible]

Page [illegible], line [illegible], for [illegible] read [illegible]

Page [illegible], line [illegible], for [illegible] read [illegible]

Page [illegible], line [illegible], for [illegible] read [illegible]

Page [illegible], line [illegible], for [illegible] read [illegible]

I

A HISTORY OF THE PROPHETS AND KINGS

THE TEMPTATION OF ADAM

فَلَمَّا أَسْكَنَ ٱللهُ عَزَّ وَجَلَّ آدَمَ عَلَيْهِ ٱلسَّلَامُ وَ زَوْجَتَهُ جَنَّتَهُ أَطْلَقَ لَهُمَا أَنْ يَأْكُلَا كُلَّمَا شَاءَا أَكْلَهُ مِنْ كُلِّ مَا فِيهَا مِنْ ثِمَارِهَا غَيْرَ ثَمَرِ شَجَرَةٍ وَاحِدَةٍ ٱبْتِلَاءً[١] مِنْهُ لَهُمَا بِذٰلِكَ وَ لِيَمْضِيَ قَضَاءُ ٱللهِ فِيهِمَا وَ فِي ذُرِّيَّتِهِمَا كَمَا قَالَ عَزَّ وَ جَلَّ وَ[٢] يَا آدَمُ ٱسْكُنْ أَنْتَ وَ زَوْجُكَ ٱلْجَنَّةَ وَ كُلَا[٣] مِنْهَا رَغَدًا حَيْثُ شِئْتُمَا وَ لَا تَقْرَبَا هٰذِهِ ٱلشَّجَرَةَ فَتَكُونَا[٤] مِنَ ٱلظَّالِمِينَ فَوَسْوَسَ لَهُمَا ٱلشَّيْطَانُ حَتَّى زَيَّنَ لَهُمَا أَكْلَ مَا نَهَاهُمَا رَبُّهُمَا عَنْ أَكْلِهِ مِنْ ثَمَرِ تِلْكَ ٱلشَّجَرَةِ

فَكَانَ وُصُولُ عَدُوِّ ٱللهِ إِبْلِيسَ[٥] إِلَى تَزْيِينِ ذٰلِكَ لَهُمَا مَا ذُكِرَ فِي ٱلْخَبَرِ ٱلَّذِي حَدَّثَنِي مُوسَى بْنُ[٦] هَارُونَ ٱلْهَمْدَانِيُّ. . .عَنْ[٧] ٱبْنِ مَسْعُودٍ وَ عَنْ نَاسٍ مِنْ أَصْحَابِ[٨] ٱلنَّبِيِّ صَلَّى ٱللهُ عَلَيْهِ وَ سَلَّمَ[٩] قَالَ لَمَّا قَالَ ٱللهُ عَزَّ وَ جَلَّ لِآدَمَ ٱسْكُنْ أَنْتَ وَ زَوْجُكَ ٱلْجَنَّةَ وَ كُلَا مِنْهَا رَغَدًا حَيْثُ شِئْتُمَا فَلَا تَقْرَبَا هٰذِهِ ٱلشَّجَرَةَ فَتَكُونَا مِنَ ٱلظَّالِمِينَ أَرَادَ إِبْلِيسُ أَنْ يَدْخُلَ عَلَيْهِمَا[١٠] ٱلْجَنَّةَ فَمَنَعَتْهُ ٱلْخَزَنَةُ فَأَتَى ٱلْحَيَّةَ وَهِيَ دَابَّةٌ لَهَا أَرْبَعُ قَوَائِمَ كَأَنَّهَا ٱلْبَعِيرُ وَهِيَ كَأَحْسَنِ ٱلدَّوَابِّ فَكَلَّمَهَا أَنْ[١١] تُدْخِلَهُ فِي فَمِهَا حَتَّى تَدْخُلَ بِهِ إِلَى آدَمَ فَأَدْخَلَتْهُ فِي فَمِهَا فَمَرَّتِ ٱلْحَيَّةُ عَلَى ٱلْخَزَنَةِ وَهُمْ لَا يَعْلَمُونَ لِمَا أَرَادَ ٱللهُ عَزَّ وَ جَلَّ مِنَ ٱلْأَمْرِ فَكَلَّمَهُ مِنْ فَمِهَا وَ لَمْ يُبَالِ كَلَامَهُ فَخَرَجَ إِلَيْهِ فَقَالَ يَا آدَمُ هَلْ أَدُلُّكَ عَلَى شَجَرَةِ ٱلْخُلْدِ وَ مُلْكٍ لَا يَبْلَى

THE BIRTH OF ABRAHAM

فَلَمَّا أَرَادَ ٱللّٰهُ عَزَّ وَ جَلَّ أَنْ يَبْعَثَ إِبْرَاهِيمَ عَلَيْهِ ٱلسَّلَامُ خَلِيلَ ٱلرَّحْمَانِ حُجَّةً(١٢) عَلَى قَوْمِهِ وَ رَسُولاً إِلَى عِبَادِهِ وَ لَمْ يَكُنْ فِيمَا بَيْنَ نُوحٍ وَ إِبْرَاهِيمَ عَلَيْهِمَا ٱلسَّلَامُ مِنْ نَبِيٍّ قَبْلَهُ إِلَّا(١٣) هُودٌ وَ صَالِحٌ(١٤) فَلَمَّا تَقَارَبَ زَمَانُ إِبْرَاهِيمَ أَتَى أَصْحَابُ ٱلنُّجُومِ(١٥) نُمْرُودَ فَقَالُوا لَهُ تَعَلَّمْ أَنَّا نَجِدُ فِى عِلْمِنَا أَنَّ غُلَاماً يُولَدُ فِى قَرْيَتِكَ هٰذِهِ يُقَالُ لَهُ(١٦) إِبْرَاهِيمُ يُفَارِقُ دِينَكُمْ وَ يُكَسِّرُ أَوْثَانَكُمْ فِى شَهْرِ كَذَا وَ كَذَا(١٧) مِنْ سَنَةِ كَذَا وَ كَذَا فَلَمَّا دَخَلَتِ ٱلسَّنَةُ ٱلَّتِى وَصَفَ أَصْحَابُ ٱلنُّجُومِ لِنُمْرُودَ بَعَثَ نُمْرُودُ إِلَى كُلِّ ٱمْرَأَةٍ حُبْلَى بِقَرْيَتِهِ فَحَبَسَهَا عِنْدَهُ إِلَّا مَا كَانَ مِنْ(١٨) أُمِّ إِبْرَاهِيمَ عَلَيْهِ ٱلسَّلَامُ ٱمْرَأَةِ آزَرَ فَإِنَّهُ لَمْ يَعْلَمْ بِحَبَلِهَا

فَجَعَلَ(١٩) لَا تَلِدُ ٱمْرَأَةٌ غُلَامًا فِى ذٰلِكَ ٱلشَّهْرِ مِنْ تِلْكَ ٱلسَّنَةِ إِلَّا أَمَرَ بِهِ فَذُبِحَ فَلَمَّا وَجَدَتْ أُمُّ إِبْرَاهِيمَ ٱلطَّلْقَ خَرَجَتْ لَيْلاً(٢٠) إِلَى مَغَارَةٍ كَانَتْ قَرِيبًا مِنْهَا فَوَلَدَتْ فِيهَا إِبْرَاهِيمَ عَلَيْهِ ٱلسَّلَامُ وَ أَصْلَحَتْ مِنْ شَأْنِهِ مَا يُصْنَعُ بِٱلْمَوْلُودِ ثُمَّ سَدَّتْ عَلَيْهِ ٱلْمَغَارَةَ ثُمَّ رَجَعَتْ إِلَى بَيْتِهَا

MOSES AND THE WATER OF LIFE

مُوسَى نَبِيُّ إِسْرَائِيلَ سَأَلَ رَبَّهُ تَبَارَكَ وَ تَعَالَى فَقَالَ أَىْ رَبِّ(٢١) إِنْ كَانَ فِى عِبَادِكَ أَحَدٌ هُوَ أَعْلَمُ مِنِّى فَادْلُلْنِى عَلَيْهِ فَقَالَ لَهُ نَعَمْ فِى عِبَادِى مَنْ هُوَ أَعْلَمُ مِنْكَ ثُمَّ نَعَتَ لَهُ مَكَانَهُ وَ أَذِنَ لَهُ فِى لِقَائِهِ فَخَرَجَ مُوسَى عَلَيْهِ ٱلسَّلَامُ وَ مَعَهُ فَتَاهُ وَ مَعَهُ حُوتٌ مَلِيحٌ قَدْ قِيلَ لَهُ إِذَا حَيِىَ هٰذَا ٱلْحُوتُ فِى مَكَانٍ فَصَاحِبُكَ هُنَالِكَ وَقَدْ أَدْرَكْتَ حَاجَتَكَ فَخَرَجَ مُوسَى وَ مَعَهُ فَتَاهُ وَ مَعَهُ ذٰلِكَ ٱلْحُوتُ

يَحْمِلَانِهِ فَسَارَ حَتَّى جَهَدَهُ ٱلسَّيْرُ وَ ٱنْتَهَى إِلَى ٱلصَّخْرَةِ وَ إِلَى ذٰلِكَ ٱلْمَاءِ
وَ ذٰلِكَ ٱلْمَاءُ مَاءُ ٱلْحَيَاةِ مَنْ شَرِبَ مِنْهُ خُلِّدَ وَ لَا يُقَارِبُهُ شَيْءٌ مَيِّتٌ إِلَّا
أَدْرَكَتْهُ ٱلْحَيَاةُ وَ حَيِيَ فَلَمَّا نَزَلَ مَنْزِلًا وَ مَسَّ ٱلْحُوتُ ٱلْمَاءَ حَيِيَ فَٱتَّخَذَ
سَبِيلَهُ فِي ٱلْبَحْرِ(٢٢)

THE DEATH OF AARON

ٱللّٰهُ تَبَارَكَ وَ تَعَالَى أَوْحَى إِلَى مُوسَى إِنَّهُ مُتَوَفٍّ هَارُونَ فَأْتِ بِهِ جَبَلَ كَذَا
وَ كَذَا فَٱنْطَلَقَ مُوسَى وَ هَارُونُ نَحْوَ ذٰلِكَ ٱلْجَبَلِ فَإِذَا هُمَا بِشَجَرَةٍ(٢٣) لَمْ يُرَ
مِثْلُهَا وَ إِذَا هُمَا بِبَيْتٍ مَبْنِيٍّ وَ إِذَا هُمَا فِيهِ بِسَرِيرٍ عَلَيْهِ فَرْشٌ وَ إِذَا فِيهِ رِيحٌ
طَيِّبَةٌ فَلَمَّا نَظَرَ هَارُونُ إِلَى ذٰلِكَ ٱلْجَبَلِ وَ ٱلْبَيْتِ وَ مَا فِيهِ أَعْجَبَهُ فَقَالَ يَا
مُوسَى إِنِّي لَأُحِبُّ أَنْ أَنَامَ عَلَى هٰذَا ٱلسَّرِيرِ قَالَ لَهُ مُوسَى فَنَمْ عَلَيْهِ قَالَ إِنِّي
أَخَافُ أَنْ يَأْتِيَ رَبُّ هٰذَا ٱلْبَيْتِ فَيَغْضَبَ عَلَيَّ قَالَ لَهُ مُوسَى لَا تَرْهَبْ أَنَا
أَكْفِيكَ رَبَّ هٰذَا ٱلْبَيْتِ فَنَمْ قَالَ يَا مُوسَى بَلْ نَمْ مَعِي فَإِنْ جَاءَ رَبُّ ٱلْبَيْتِ
غَضِبَ عَلَيَّ وَ عَلَيْكَ جَمِيعًا فَلَمَّا نَامَ أَخَذَ هَارُونَ ٱلْمَوْتُ

2

THE FABLES OF LUQMĀN

THE LION AND THE RAT

أَسَدٌ مَرَّةً ٱشْتَدَّ عَلَيْهِ حَرُّ ٱلشَّمْسِ فَدَخَلَ (١)إِلَى بَعْضِ ٱلْمَغَائِرِ يَتَظَلَّلُ فِيهَا فَلَمَّا رَبَضَ أَتَى إِلَيْهِ جُرَذٌ يَمْشِي فَوْقَ ظَهْرِهِ فَوَثَبَ قَائِمًا فَنَظَرَ يَمِينًا وَ يَسَارًا وَ هُوَ خَائِفٌ مَرْعُوبٌ فَنَظَرَهُ ٱلثَّعْلَبُ فَتَضَحَّكَ عَلَيْهِ فَقَالَ لَهُ ٱلْأَسَدُ لَيْسَ مِنَ ٱلْجُرَذِ خَوْفِي وَ إِنَّمَا كَبُرَ عَلَيَّ ٱحْتِقَارُهُ لِي

THE MAN AND THE IDOL

إِنْسَانٌ كَانَ لَهُ صَنَمٌ فِي بَيْتِهِ يَعْبُدُهُ وَ كَانَ يَذْبَحُ لَهُ فِي كُلِّ يَوْمٍ ذَبِيحَةً فَأَفْنَى جَمِيعَ مَا يَمْلِكُهُ عَلَى ذٰلِكَ ٱلصَّنَمِ فَشَخَصَ لَهُ قَائِلًا لَا تُفْنِ مَا لَكَ عَلَيَّ ثُمَّ تَلُومُنِي فِي ٱلْآخِرَةِ

DEATH AND THE WOOD CARRIER

إِنْسَانٌ مَرَّةً حَمَلَ جُرْزَةَ حَطَبٍ فَثَقُلَتْ عَلَيْهِ فَلَمَّا أَعْيَا وَ ضَجِرَ مِنْ حَمْلِهَا رَمَى بِهَا عَنْ كَتِفِهِ وَ دَعَا عَلَى رُوحِهِ بِٱلْمَوْتِ فَشَخَصَ لَهُ ٱلْمَوْتُ قَائِلًا (٢)هُوَ ذَا أَنَا لِمَ ذَا دَعَوْتَنِي فَقَالَ لَهُ ٱلْإِنْسَانُ دَعَوْتُكَ لِتَرْفَعَ (٣)هٰذِهِ ٱلْجُرْزَةَ ٱلْحَطَبَ عَلَى كَتِفِي

THE SUN AND THE WIND

اَلشَّمْسُ وَ ٱلرِّيحُ تَخَاصَمَا فِيمَا بَيْنَهُمَا مَنْ مِنْهُمَا يَقْدِرُ أَنْ يُجَرِّدَ ٱلْإِنْسَانَ
ٱلثِّيَابَ فَٱشْتَدَّتِ ٱلرِّيحُ بِٱلْهُبُوبِ وَ عَصَفَتْ جِدًّا فَكَانَ ٱلْإِنْسَانُ إِذَا ٱشْتَدَّ
هُبُوبُ ٱلرِّيحِ ضَمَّ ثِيَابَهُ إِلَيْهِ وَ ٱلْتَفَّ بِهَا مِنْ كُلِّ جَانِبٍ فَلَمْ تَقْدِرِ ٱلرِّيحُ
عَلَى خَلْعِ ثِيَابِهِ مِنْ جَسَدِهِ بِشِدَّةِ عَصْفِهِ فَلَمَّا أَشْرَقَتِ ٱلشَّمْسُ وَ ٱرْتَفَعَ ٱلنَّهَارُ
وَ ٱشْتَدَّ ٱلْحَرُّ وَحَمِيَتِ ٱلرَّمْضَاءُ فَخَلَعَ ٱلْإِنْسَانُ ثِيَابَهُ وَ حَمَلَهَا عَلَى كَتِفِهِ مِنْ
شِدَّةِ ٱلْحَرِّ

THE THREE SNAKES

إِنْسَانٌ مَرَّةً نَظَرَ حَيَّتَيْنِ تَقْتَتِلَانِ وَ تَتَنَاهَشَانِ وَ إِذْ بِحَيَّةٍ أُخْرَى قَدْ أَتَتْ
فَأَصْلَحَتْ بَيْنَهُمَا فَقَالَ لَهَا ٱلْإِنْسَانُ لَوْلَا أَنَّكِ أَشَرُّ مِنْهُمَا لَمْ تَدْخُلِي
بَيْنَهُمَا

THE LION AND THE TRAVELLER

أَسَدٌ مَرَّةً وَ إِنْسَانٌ ٱصْطَحَبَا عَلَى ٱلطَّرِيقِ فَجَعَلَا يَتَشَاجَرَانِ بِٱلْكَلَامِ عَلَى
ٱلْقُوَّةِ وَ شِدَّةِ ٱلْبَأْسِ فَجَعَلَ ٱلْأَسَدُ يُطْنِبُ فِي شِدَّتِهِ وَ بَأْسِهِ فَنَظَرَ ٱلْإِنْسَانُ
عَلَى حَائِطٍ صُورَةَ رَجُلٍ وَ هُوَ يَخْنُقُ سَبُعًا فَضَحِكَ ٱلْإِنْسَانُ فَقَالَ لَهُ ٱلْأَسَدُ
لَوْ أَنَّ ٱلسِّبَاعَ مُصَوِّرُونَ مِثْلَ بَنِي آدَمَ لَمَا قَدَرَ ٱلْإِنْسَانُ يَخْنُقُ سَبُعًا بَلْ
كَانَ ٱلسَّبُعُ يَخْنُقُ ٱلْإِنْسَانَ

THE DROWNING BOY

صَبِيٌّ مَرَّةً رَمَى نَفْسَهُ فِي نَهْرِ مَاءٍ وَ لَمْ يَكُنْ يُحْسِنُ يَسْبَحُ فَأَشْرَفَ عَلَى
الغَرَقِ فَٱسْتَعَانَ بِرَجُلٍ عَابِرٍ فِي ٱلطَّرِيقِ فَأَقْبَلَ إِلَيْهِ وَ جَعَلَ يُلَوِّمُهُ عَلَى
نُزُولِهِ إِلَى ٱلنَّهْرِ فَقَالَ لَهُ ٱلصَّبِيُّ يَا هٰذَا خَلِّصْنِي أَوَّلاً مِنَ ٱلْمَوْتِ وَ بَعْدَ
ذٰلِكَ لَوِّمْنِي

3

THE ARABIAN NIGHTS

THE ASS AND THE BULL

اِعْلَمِي يَا ٱبْنَتِي أَنَّهُ كَانَ لِبَعْضِ ٱلتُّجَّارِ أَمْوَالٌ وَ مَوَاشٍ وَ كَانَ لَهُ زَوْجَةٌ وَ أَوْلَادٌ وَ كَانَ ٱللّٰهُ تَعَالَى أَعْطَاهُ مَعْرِفَةَ لُغَاتِ أَلْسُنِ ٱلْحَيَوَانَاتِ وَ ٱلطُّيُورِ وَ كَانَ مَسْكَنُ ذٰلِكَ ٱلتَّاجِرِ ٱلْأَرْيَافَ وَ كَانَ عِنْدَهُ فِي دَارِهِ حِمَارٌ وَ ثَوْرٌ فَأَتَى يَوْمًا ٱلثَّوْرُ إِلَى مَكَانِ ٱلْحِمَارِ فَوَجَدَهُ مَكْنُوسًا مَرْشُوشًا وَ فِي مَعْلَفِهِ شَعِيرٌ مُغَرْبَلٌ وَ تِبْنٌ مُغَرْبَلٌ وَهُوَ رَاقِدٌ مُسْتَرِيحٌ وَ فِي بَعْضِ ٱلْأَوْقَاتِ يَرْكَبُهُ صَاحِبُهُ لِحَاجَةٍ تَعْرِضُ لَهُ وَ يَرْجِعُ [1]عَلَى حَالِهِ فَلَمَّا كَانَ فِي بَعْضِ ٱلْأَيَّامِ سَمِعَ ٱلتَّاجِرُ ٱلثَّوْرَ وَهُوَ يَقُولُ لِلْحِمَارِ [2]هَنِيئًا لَكَ أَنَا تَعْبَانُ وَ أَنْتَ مُسْتَرِيحٌ تَأْكُلُ ٱلشَّعِيرَ مُغَرْبَلًا وَ يَخْدُمُكَ صَاحِبُنَا وَ فِي بَعْضِ ٱلْأَوْقَاتِ يَرْكَبُكَ وَ يَرْجِعُ [3]وَأَنَا دَائِمًا لِلْحَرْثِ وَ ٱلطَّحْنِ فَقَالَ لَهُ ٱلْحِمَارُ عِنْدَ مَا تَخْرُجُ إِلَى ٱلْغَيْطِ وَ يَجْعَلُونَ عَلَى رَقَبَتِكَ ٱلنِّيرَ فَٱرْقُدْ وَ لَوْ ضَرَبُوكَ لَا تَقُمْ أَوْ قُمْ وَ ٱرْقُدْ وَ لَمَّا يَرْجِعُونَ بِكَ وَ يَضَعُونَ لَكَ ٱلْفُولَ فَلَا تَأْكُلْهُ كَأَنَّكَ ضَعِيفٌ وَ ٱمْتَنِعْ مِنَ ٱلْأَكْلِ وَ ٱلشُّرْبِ يَوْمًا أَوْ يَوْمَيْنِ أَوْ ثَلَاثَةً فَتَسْتَرِيحُ مِنَ ٱلتَّعَبِ وَ ٱلْجَهْدِ [4]قَالَ وَ كَانَ ٱلتَّاجِرُ يَسْمَعُ كَلَامَهُمَا فَلَمَّا جَاءَ ٱلسَّوَّاقُ إِلَى ٱلثَّوْرِ بِعَشَائِهِ أَكَلَ مِنْهُ شَيْئًا يَسِيرًا فَأَصْبَحَ ٱلسَّوَّاقُ لِيَأْخُذَ ٱلثَّوْرَ إِلَى ٱلْحَرْثِ فَوَجَدَهُ ضَعِيفًا فَحَزِنَ عَلَيْهِ ثُمَّ جَاءَ إِلَى ٱلتَّاجِرِ وَ قَالَ لَهُ يَا مَوْلَايَ إِنَّ ٱلثَّوْرَ مُقَصِّرٌ لَمْ يَأْكُلْ هٰذِهِ ٱللَّيْلَةَ ٱلْعَلَفَ وَلَا ذَاقَ مِنْهُ شَيْئًا وَ قَدْ عَرَفَ

ٱلتَّاجِرُ ٱلْأَمْرَ فَقَالَ ٱمْضِ وَ خُذِ ٱلْحِمَارَ وَ حَرِّثْ عَلَيْهِ (٥) مَكَانَهُ ٱلْيَوْمَ كُلَّهُ قَالَ فَلَمَّا رَجَعَ آخِرَ ٱلنَّهَارِ بَعْدَ مَا حَرِّثَ عَلَيْهِ ٱلْيَوْمَ كُلَّهُ شَكَرَهُ ٱلثَّوْرُ عَلَى تَفَضُّلَاتِهِ لِأَنَّهُ أَرَاحَهُ مِنَ ٱلتَّعَبِ فِي ذٰلِكَ ٱلْيَوْمِ فَلَمْ يَرُدَّ عَلَيْهِ ٱلْحِمَارُ جَوَابًا وَ نَدِمَ شِدَّةَ ٱلنَّدَمِ فَلَمَّا كَانَ ثَانِيَ يَوْمٍ جَاءَ ٱلزَّرَّاعُ وَ أَخَذَ ٱلْحِمَارَ وَ حَرَّثَ عَلَيْهِ إِلَى آخِرِ ٱلنَّهَارِ فَمَا رَجَعَ ٱلْحِمَارُ إِلَّا (٦) مَسْلُوخَ ٱلرَّقَبَةِ مَيِّتًا مِنَ ٱلتَّعَبِ فَتَأَمَّلَهُ ٱلثَّوْرُ فَشَكَرَهُ وَ مَدَحَهُ فَقَالَ ٱلْحِمَارُ كُنْتُ (٧) قَاعِدًا بِطُولِي فَمَا خَلَّانِي فُضُولِي ثُمَّ قَالَ لَهُ ٱعْلَمْ أَنِّي لَكَ نَاصِحٌ وَ قَدْ سَمِعْتُ أُسْتَاذَنَا يَقُولُ إِنْ لَمْ يَقُمِ ٱلثَّوْرُ مِنْ مَوْضِعِهِ أَعْطُوهُ ٱلْجَزَّارَ لِيَذْبَحَهُ وَ يَعْمَلَ جِلْدَهُ قِطَعًا وَ أَنَا خَائِفٌ عَلَيْكَ وَ قَدْ نَصَحْتُكَ وَ ٱلسَّلَامُ قَالَ فَلَمَّا سَمِعَ ٱلثَّوْرُ كَلَامَ ٱلْحِمَارِ شَكَرَهُ وَ قَالَ بُكْرَةً أَسْرَحُ مَعَهُمْ ثُمَّ أَنَّ ٱلثَّوْرَ أَكَلَ عَلَفَهُ بِتَمَامِهِ حَتَّى لَحَسَ ٱلْمِذْوَدَ بِلِسَانِهِ كُلُّ ذٰلِكَ وَ صَاحِبُهُمَا يَسْمَعُ كَلَامَهُمَا فَلَمَّا طَلَعَ ٱلنَّهَارُ خَرَجَ ٱلتَّاجِرُ وَ زَوْجَتُهُ إِلَى دَارِ ٱلْبَقَرِ وَ جَلَسَا فَجَاءَ ٱلسَّوَّاقُ وَ أَخَذَ ٱلثَّوْرَ وَ خَرَجَ فَلَمَّا رَأَى ٱلثَّوْرُ أُسْتَاذَهُ حَرَّكَ ذَيْلَهُ وَ سَرِحَ فَضَحِكَ ٱلتَّاجِرُ حَتَّى ٱسْتَلْقَى عَلَى قَفَاهُ فَقَالَتْ لَهُ زَوْجَتُهُ مِنْ أَيِّ شَيْءٍ تَضْحَكُ فَقَالَ لَهَا سِرٌّ رَأَيْتُهُ وَسَمِعْتُهُ وَ لَا أَقْدِرُ أَبُوحُ بِهِ

THE NILE FERRYMAN

وَمِمَّا يُحْكَى أَنَّ رَجُلًا مِنَ ٱلصَّالِحِينَ قَالَ كُنْتُ مَلَّاحًا بِنِيلِ مِصْرَ أُعَبِّرُ مِنَ ٱلْجَانِبِ ٱلشَّرْقِيِّ إِلَى ٱلْجَانِبِ ٱلْغَرْبِيِّ فَبَيْنَمَا أَنَا ذَاتَ يَوْمٍ مِنَ ٱلْأَيَّامِ قَاعِدٌ فِي ٱلزَّوْرَقِ إِذَا بِشَيْخٍ (٨) ذِي وَجْهٍ مُشْرِقٍ قَدْ وَقَفَ عَلَيَّ وَ سَلَّمَ فَرَدَدْتُ عَلَيْهِ

ٱلسَّلَامَ فَقَالَ (٩) تَحْمِلُنِي (١٠) لِلّٰهِ تَعَالَى قُلْتُ نَعَمْ قَالَ وَ تُطْعِمُنِي لِلّٰهِ قُلْتُ نَعَمْ
فَصَعِدَ ٱلزَّوْرَقَ وَ عَبَرْتُ بِهِ إِلَى ٱلْجَانِبِ ٱلشَّرْقِيِّ وَ كَانَ عَلَيْهِ مُرَقَّعَةٌ وَبِيَدِهِ
رَكْوَةٌ وَ عَصًا فَلَمَّا أَرَادَ ٱلنُّزُولَ قَالَ لِي إِنِّي أُرِيدُ أَنْ أُحَمِّلَكَ أَمَانَةً قُلْتُ
وَ مَا هِيَ قَالَ إِذْ كَانَ ٱلْغَدُ وَ أُلْهِمْتَ أَنْ تَأْتِيَنِي وَقْتَ ٱلظُّهْرِ وَ أَتَيْتَ
وَ وَجَدْتَنِي تَحْتَ تِلْكَ ٱلشَّجَرَةِ مَيِّتًا فَغَسِّلْنِي وَ كَفِّنِي فِي ٱلْكَفَنِ ٱلَّذِي تَجِدُهُ تَحْتَ
رَأْسِي وَ ٱدْفِنِّي بَعْدَ ٱلصَّلٰوةِ عَلَيَّ فِي هٰذَا ٱلرَّمْلِ وَ ٱمْسِكْ ٱلْمُرَقَّعَةَ وَ ٱلرَّكْوَةَ
وَ ٱلْعَصَا فَإِذَا جَاءَكَ مَنْ يَطْلُبُهُنَّ فَٱدْفَعْهُنَّ لَهُ قَالَ فَتَعَجَّبْتُ مِنْ قَوْلِهِ وَ بِتُّ
لَيْلَتِي تِلْكَ ثُمَّ أَصْبَحْتُ أَنْتَظِرُ ٱلْوَقْتَ ٱلَّذِي ذَكَرَهُ لِي فَلَمَّا جَاءَ وَقْتُ ٱلظُّهْرِ
نَسِيتُ كَمَا قَالَ ثُمَّ أُلْهِمْتُ قَرِيبَ ٱلْعَصْرِ فَسِرْتُ بِسُرْعَةٍ فَوَجَدْتُهُ تَحْتَ ٱلشَّجَرَةِ
مَيِّتًا وَ وَجَدْتُ كَفَنًا جَدِيدًا عِنْدَ رَأْسِهِ تَفُوحُ مِنْهُ رَائِحَةُ ٱلْمِسْكِ فَغَسَّلْتُهُ
وَ كَفَّنْتُهُ وَ صَلَّيْتُ عَلَيْهِ وَ حَفَرْتُ لَهُ قَبْرًا وَ دَفَنْتُهُ ثُمَّ عَبَرْتُ ٱلنِّيلَ وَجِئْتُ
ٱلْجَانِبَ ٱلْغَرْبِيَّ لَيْلًا وَ مَعِي ٱلْمُرَقَّعَةُ وَ ٱلرَّكْوَةُ وَ ٱلْعَصَا فَلَمَّا لَاحَ ٱلصَّبَاحُ
وَ فُتِحَ بَابُ ٱلْبَلَدِ بَصُرْتُ بِشَابٍّ أَصْلُهُ شَاطِرٌ كُنْتُ أَعْرِفُهُ عَلَيْهِ ثِيَابٌ رَقِيقَةٌ وَ فِي
يَدِهِ أَثَرُ حِنَّاءٍ فَأَتَى حَتَّى وَصَلَ إِلَيَّ فَقَالَ أَنْتَ فُلَانٌ قُلْتُ نَعَمْ قَالَ هَاتِ ٱلْأَمَانَةَ
قُلْتُ وَ مَا هِيَ قَالَ ٱلْمُرَقَّعَةُ وَ ٱلرَّكْوَةُ وَ ٱلْعَصَا فَقُلْتُ وَ مَنْ دَلَّكَ بِهِنَّ قَالَ
لَا أَدْرِي غَيْرَ أَنِّي بِتُّ ٱلْبَارِحَةَ فِي عُرْسِ فُلَانٍ وَ سَهِرْتُ أُغَنِّي إِلَى أَنْ جَاءَ
وَقْتُ ٱلصُّبْحِ فَنِمْتُ لِأَسْتَرِيحَ فَإِذَا شَخْصٌ قَدْ وَقَفَ عَلَيَّ وَ قَالَ لِي إِنَّ ٱللّٰهَ
تَعَالَى قَدْ قَبَضَ رُوحَ فُلَانٍ ٱلْوَلِيِّ وَ أَقَامَكَ مَقَامَهُ فَسِرْ إِلَى فُلَانٍ ٱلْمُعَدِّي
وَ خُذْ مِنْهُ مُرَقَّعَتَهُ وَرَكْوَتَهُ وَ عَصَاهُ فَإِنَّهُ قَدْ وَضَعَهَا لَكَ عِنْدَهُ قَالَ فَأَخْرَجْتُهَا
وَ دَفَعْتُهَا لَهُ فَنَضَا ثِيَابَهُ ثُمَّ لَبِسَهَا وَ سَارَ وَ تَرَكَنِي فَبَكَيْتُ لِمَا حُرِمْتُ مِنْ

ذٰلِكَ فَلَمَّا جَنَّ ٱللَّيْلُ عَلَيَّ نِمْتُ فَرَأَيْتُ رَبَّ ٱلْعِزَّةِ تَبَارَكَ وَتَعَالَى فِي ٱلْمَنَامِ فَقَالَ يَا عَبْدِي أَثْقَلَ عَلَيْكَ أَنِّي مَنَنْتُ عَلَى عَبْدٍ مِنْ عِبَادِي بِٱلرُّجُوعِ إِلَيَّ إِنَّمَا هُوَ فَضْلِي أُوتِيهِ مَنْ أَشَاءُ وَ أَنَا عَلَى كُلِّ شَيْءٍ قَدِيرٌ

THE JUST KING

إِنَّ ٱلْمَلِكَ ٱلْعَادِلَ (١١)أَنُوشِرْوَانُ أَظْهَرَ يَوْمًا مِنَ ٱلْأَيَّامِ أَنَّهُ مَرِيضٌ وَ أَنْفَذَ ثِقَاتَهُ وَ أُمَنَائَهُ وَ أَمَرَهُمْ أَنْ يَطُوفُوا أَقْطَارَ مَمْلَكَتِهِ وَ أَكْنَافَ وِلَايَتِهِ وَ أَنْ يَتَطَلَّبُوا لَهُ لَبِنَةً عَتِيقَةً مِنْ قَرْيَةٍ خَرِبَةٍ لِيَتَدَاوَى بِهَا وَ ذَكَرَ لِأَصْحَابِهِ أَنَّ ٱلْأَطِبَّاءَ وَصَفُوا لَهُ ذٰلِكَ فَطَافُوا أَقْطَارَ مَمْلَكَتِهِ وَ جَمِيعَ وِلَايَتِهِ وَ عَادُوا إِلَيْهِ فَقَالُوا لَهُ مَا وَجَدْنَا فِي جَمِيعِ ٱلْمَمْلَكَةِ مَكَانًا خَرِبًا وَلَا لَبِنَةً عَتِيقَةً فَفَرِحَ أَنُوشِرْوَانُ بِهٰذَا وَ شَكَرَ ٱللّٰهَ وَ قَالَ إِنَّمَا أَرَدْتُ أَنْ أُجَرِّبَ وِلَايَتِي وَ أَخْتَبِرَ مَمْلَكَتِي لِأَعْلَمَ هَلْ بَقِيَ فِيهَا مَوْضِعٌ خَرِبٌ لِأُعَمِّرَهُ وَ (١٢)حَيْثُ أَنَّهُ ٱلْآنَ لَمْ يَبْقَ فِيهَا مَكَانٌ إِلَّا وَهُوَ عَامِرٌ فَقَدْ تَمَّتْ أُمُورُ ٱلْمَمْلَكَةِ وَ ٱنْتَظَمَتِ ٱلْأَحْوَالُ وَوَصَلَتِ ٱلْعِمَارَةُ إِلَى دَرَجَةِ ٱلْكَمَالِ

4

KALĪLAH AND DIMNA

قال الفيلسوف زعموا أنّ أربعة نفر ٱصطحبوا أحدُهم ٱبن ملكٍ و الثانى ٱبن شريفٍ و الثالث ٱبن تاجرٍ و الرابع ٱبن أكّارٍ و كانوا جميعًا محتاجين و قد أصابَهم ضرٌّ و جهدٌ لا يملكون شيئًا إلّا ما عليهم من ثيابهم فبينما يمشون إذ قال ٱبن الملك إنّ أمرَ الدنيا كلّه بالقضاء و القدر وٱنتظارُهما أفضلُ الأمور قال ٱبن التاجر بل العقل أفضلُ من كلّ شىء قال ٱبن الشريف الجَمال خير ممّا ذكرتم قال ٱبن الأكّار الاجتهاد أفضل من ذلك كلّه ثمّ مضَوْا نحوَ مدينةٍ يُقالُ لها [1]مَطُون فلمّا ٱنتهوا إليها أقاموا فى ناحيةٍ [2]منها و قالوا لٱبن الأكّار ٱنطلقْ فٱكتسبْ لنا بٱجتهادك طعامًا ليَوْمِنَا هذا فٱنطلقَ فسأل أىُّ عَمَلٍ اذا عَمِلَهُ الرجلُ من غدوّهِ إلى الليل كَسَبَ به ما يُشبع أربعة نفر فقيلَ لهُ ليس شىءٌ بِأَعزَّ من الحَطَب و كان الحطب منها على فرسخ فتوجّهَ إليه فحمل حملًا من الحطب الجزل فباعهُ [3]بنصف درهمٍ ثمّ ٱشترى به ما يصلح أصحابَهُ و كتب على باب المدينة اجتهادُ يومٍ واحدٍ يبلغ ثمنهُ نصفَ درهمٍ و أتاهم بما ٱشترى فأكلوا فلمّا أصبحوا قالوا لٱبن الشريف ٱنطلقْ بجَمالك فٱكتسبْ بَعْضَ ما يَقُوتُنا فٱنطلقَ و تَفَكَّرَ فى نفسه و قال لَسْتُ أُحْسِنُ من الأعمال شيئًا و أستحى أن أرجعَ إلى أصحابى بغير طعامٍ فهمّ أن يفارقَهم فأَسْند ظهرَهُ إلى شجرةٍ فى المدينة من الهمّ فَمَرَّ عليه مُصَوِّرٌ فأَعجبَهُ جَمالُهُ فأرسلَ إليه خادمَهُ فأَتى به و أدخلَهُ دارَهُ ثمّ أمر فنظّف

وظلّ معهُ يومَهُ ذلك و أخذ رسمَهُ ليعرضَ صورتَهُ على أهل المدينة فلمّا كان
عند المساء أجازَهُ بخمس مائة دينار فَتَوَجَّهَ إلى أصحابِهِ و كتب على باب
المدينة جَمَالُ يومٍ واحدٍ ثمنُهُ خمس مائة دينار فلمّا أصبحوا قالوا لِٱبن التاجر
ٱنطلق أنت فٱكتسب لنا بعقلك و تجارتك ليومِنَا هذا شيئًا فذهب و لم
يبرحْ إلّا قليلًا حتّى أَبْصرَ سفينةً عظيمةً فى البحر قد أرستْ فى الشطّ غيرَ
بعيدٍ من المدينة فخرج إليها الناس ليتباعوا ما فيها فساوموا أصحابها فوجدوا
ثمنَها غاليًا ثُمَّ قال بعضُهم لبعضٍ [٤] فَلْننصرف اليومَ دونَ أن نبتاع منها شيئًا
حتّى تَكسُدَ البضاعةُ على أصحاب السفينة فيرخّصوا عَلَيْنَا ففعلوا ذلك فخالفَ
إليها ٱبنُ التاجر فٱشترى منهم ما كان فيها بمائة ألف دينار فلمّا بلغَ التجّار
ما فعلَ أتوه فأربحوه مائة ألف درهم فٱنْتَقَدَهَا و رجع إلى أصحابه فلمّا مرّ
بباب المدينة كتب عليها عقلُ يوم واحد ثمنُه مائة ألف درهم فتمتّعوا بما
أصابوا و أخصبوا فلمّا أصبحوا فى اليوم الرابع قالوا لِٱبن الملك ٱنطلق
فٱكتسب لنا شيئًا بالقضاء و القدر فذهبَ حتّى أتى بابَ المدينة فجلس على
دكّان من دكاكين باب المدينة فقُضِى أنّ ملكَها هلك و لم يترك ولدًا ولا
أخًا و لا ذوى قرابة فمرُّوا عليه بجنازة الملك فبصروا به لا يتحرّك و لا
يتحاشى و لا يحزن لِموتِ الملك فسأله البوّابُ مَنْ أنت و ما يُقْعِدُك على باب
المدينة لا يُحزِنك موتُ الملك فلم يُجِبْهُ فشتمهُ و طردهُ فلمّا مضوا رجع إلى
مكانهِ ثمّ ٱنصرفوا من دَفْنِ الملك فبصر بهِ البوّاب و قال له بغضبٍ أَلَمْ
أَنْهَكَ عن هذا المجلس و تقدّم إليهِ فأخذهُ و حبسهُ فلمّا ٱجتمعوا فى الغد
ليملّكوا عليهم رجلًا يختارونهُ قام الذى كان أَلقى الفتى بالحبس فحدّثهم

بقصّته فقال إنّى رأيتُ أَمْسِ غلاماً جالسًا على الباب و لم أَرَهُ يحزن لِحزننا
و تلوح عليه لوائح العزّة و الشرف كلّمتُه فلم يُجِبْنى فأَلقيتُهُ بالحبس و إنّى
أتخوّف أن (٥)يكونَ عينًا علينا فٱبعثوا إليه فأَتوا به فسأَلوهُ مَنْ هو وما أمرهُ
و ما الذى أَقدمَهُ أَرضَهم قال أنا ٱبن (٦)قروناد الملك تُوُفِّى والدى فغلَبنى أخى
على المُلك و أنا أكبرُ منهُ فهربتُ منهُ حذرًا على نفسى حتّى ٱنتهيتُ إليكم فلمّا
سمعوا ذلك منهُ لم يتحقّقوا صِدْقَ كلامِهِ حتّى عرفَهُ بعضُ من كان منهم يغشَى
بلاد أبيه فأَثنوا عليه و ملّكوهُ عليهم و قلّدوه أمرَهم و كانت سُنّتهم الطَّوَاف
لِمَنْ ولَّوه عليهم فحملوهُ على فيلٍ و أجالوا بهِ فلمّا مرّ بباب المدينة بصرَ بما
كُتِبَ عليه أصحابُه فأَمر أنْ يُكتبَ الاجتهاد و العقل و العمل و ما أَصاب
الإنسان من خيرٍ أو شرٍّ إنّما يجرى بقضاء اللّه و حُكْمِهِ و ٱعتبرْ ذلك بما ساق
اللّهُ إلىَّ مِنَ الخير و السعادة بفضلِه ثمّ أنّ الملكَ أتى مجلسَهُ فقعد على
سريرِه وأرسل إلى أصحابِهِ فأَتوه فموّلهم و أَغناهم ثمّ جمعَ عمّالَهُ و أهل
الفضل و (٧)ذوى الرأْى من أهل مملكتِهِ فقال أمّا أصحابى فقد ٱستيقنوا أنّ
الذى رزقهم اللّهُ من الخير إنّما كان بما أُتوهُ بفضل عقلهم و جمالهم
و نشاطهم و أمّا أنا فإنّ الذى مَنَحَنِى اللّهُ و هيَّأَهُ لِى لم يكن من الجمال ولا
العقل ولا الاجتهاد و إنّما كان بِحُكْمِهِ تَعَالَى و قضائِهِ و ما كنتُ أَرْجو إذ
طَرَدَنى أخى و جفانى أن أُصيبَ هذه المنزلة و لا أكون بها لأنّى قد رأيتُ من
أهل هذه الأرض من هو أفضلُ منّى جمالًا و حُسنًا و علمتُ أنّ فيها من هو
أكملُ منّى رأيًا و أشدّ منّى ٱجتهادًا فساقَنى اللّه و قضاؤُهُ إلى أن ٱغتربتُ
فملكتُ أمرًا قد عَلِمَهُ اللّهُ و قدّرهُ و قد كنتُ راضيًا أنْ أعيشَ بحالِ خشونةٍ

و شظف معيشة فقام شيخٌ كان فى أرضهم فقال أيُّها الملكُ إنّك قد تكلّمت بحلمٍ
و عقلٍ ورأى فحَسُن ظنُّنا بك ورجاؤُنا فيك و عَرَفْنا ما ذكرتَ و صدّقناك بما
وصفتَ و علمْنا أنّك قد كنتَ لِمَا ساق اللّٰهُ إليك من ذاك أهلاً بفضلِ
قِسْمتهِ عندك و تتابعِ نعمتهِ عليك فإنّ أسعدَ الناس فى الدنيا و الآخرة و أَوْلاهم
بالسرور فيها مَن رزقَه اللّٰهُ مثلَ ما رزقك و جعل عنده مثل الذى جعل عندك
و قد أرانا اللّٰهُ الذى نحبّ إذ ملّكك علينا و قلّدك أمرَنا فنحمد اللّٰهَ على ما
أكرمَنا به مِن ذلك و ٱمتنَّ علينا فيهِ ثمّ قام شيخٌ آخَرُ فحمد اللّٰه و أثنى عليه
و مجّده و ذكر آلاءَهُ و قال أيّها الملك إنّى قد كنتُ و أنا غلامٌ قَبْلَ أن أسيحَ
فى الأرض أخدمُ رجلًا من الناس فلمّا بدا لِى أن أرفضَ الدنيا فارقتُهُ و قد كان
أعطانى من أُجْرتى دينارَيْن فأردتُ أن أتصدّقَ بأحدهما و أَستنفق الآخَرَ
فقلتُ [٨] أَليس أعظمَ لآخرتى أن أشترى نفسًا بدينار فأُعتقها لِوَجْهِ اللّٰه فأتيتُ
السوقَ فوجدتُ مع صيّادٍ حمامتَيْن فساومتُهُ فطلبَ بهما دينارين فجهدتُ على
أن يُعطيهما بدينار فأبَى ذلك فقلتُ لعلّهما أن يكونا زوجَيْن أو أخوَيْن فأخافُ
إنْ أَعتقتُ أحدَهما أن يموتَ الآخَرُ فٱبتعتُهما منه بالثمن الذى سمّى
و ٱشتفقتُ إن أنا أرسلتُهما فى أرضٍ عامرةٍ أن يُصادا و لا يستطيعان أن يطيرا
ممّا لقيا من الجهد و الهزال فذهبتُ بهما إلى مكان كثير الرعى فسرّحتُهما
فطارا فوقعا على شجرةٍ ثمّ شكرا لِى وسمعتُ أحدَهما يقول لِلآخَر لقد خلّصَنا
هذا السائح من البلاء الذى كنّا فيه و انّا لخليقان أن نجازيَهُ بفعلهِ ثمّ قالا
لِى لأنّك قد أتيتَ إلينا بما نحن أهلُ أن نشكرك به و نعرفهُ لك فٱعلمْ أنّ فى
أصل هذه الشجرة جرّةً مملوءة دنانير فَخُذْهَا فأتيتُ الشجرة و أنا فى شكّ ممّا

قالا لِى فلمْ أحفرْ إلّا قليلاً حتّى ٱنتهيتُ إليها فٱستخرجتُها و دعوتُ اللّهَ لهما بالعافية و قلتُ لهما إذا كان علمُكما هذا العلمَ بما تَحْتَ الأرض و أنتما تطيران بين السماء و الأرض فكيفَ وقعتما فى هذه الورطة التى أنجيتُكما منها قالا أَمَا تعلمُ أيّها العاقل أنّ القدرَ إذا نزل أغشى البصرَ و القدرُ يغلب كلَّ شئٍ و لا يستطيع أحد أنْ يُجاوزه

5

A HISTORY OF THE CALIPHS

THE CONVERSION OF 'UMAR IBN AL-KHAṬṬĀB

(١) البَيْهقِى فى (٢) الدلائل عن (٣) أسلم قال قال لنا (٤) عُمر كنتُ أشدَّ الناس على رسول اللّه صلّى اللّه عليه و آله و سلّم فبينا أنا فى يومٍ حارٍّ بالهاجرة فى بعض طريق مكّة إذ لَقِينى رجلٌ فقال (٥) عجبًا لك يا ٱبنَ الخطاب إنّك (٦) تزعم أنّك و أنّك و قد دخل عليك الأمرُ فى بيتك قلتُ و ما ذاك قال أختُك قد أسلمت فرجعتُ مُغضَبًا حتّى قرعتُ الباب قِيلَ مَنْ هذا قلتُ عُمر فتبادروا فٱختفوا منّى و كانوا يقرؤون صحيفة بين أيديهم و تركوها و نسُوها فقامتْ أختى تفتح الباب فقلتُ يا عدوّةَ نفسِها أصبأتِ و ضربتُها بشيءٍ كان فى يدى على رأسها فسال الدمُ و بكتْ فقالت يا ابنَ الخطاب ما كنتَ فاعلا فٱفعل فقد صبأْتُ (٧) قال فدخلتُ حتّى جلستُ على السرير فنظرتُ إلى الصحيفة فقلتُ ما هذا نَاوِلِينِيها قالتْ لستَ مِن أهلها إنّك لا تطهر من الجنابة و هذا كتابٌ (٨) لَا يَمَسُّهُ إِلَّا ٱلْمُطَهَّرُونَ (٩) فما زِلتُ بها حتّى ناولتنيها ففتحتُها فإذا فيها (١٠) بِسْمِ ٱللّٰهِ ٱلرَّحْمَانِ ٱلرَّحِيمِ فلمّا مررْتُ بٱسم من أسماء اللّه تعالى ذُعِرْتُ منه فألقيتُ الصحيفة ثمّ (١١) رجعتُ إلى نفسى فتناولتها فإذا فيها (١٢) سَبَّحَ لِلّٰهِ مَا فِى ٱلسَّمٰوَاتِ وَ ٱلْأَرْضِ فذعرتُ فقرأتُ إلى (١٣) آمِنُوا بِٱللّٰهِ وَ رَسُولِهِ فقلتُ أشهدُ أنّ (١٤) لا إلٰه إلّا اللّه فخرجوا إلىّ مبادرين و كبّروا و قالوا ابشرْ فإنّ

رسولَ اللّٰه صلّى اللّٰه عليه و آله و سلّم دعا يومَ الاثنين فقال اللّٰهمّ أعِزّ دينَك
بأحبّ الرجلَيْن إليك إمّا (١٥) أبو جهل بن هشام و إمّا عُمر و دَلّونى على النبىّ
صلّى اللّٰه عليه و سلّم فى بيتٍ بأسفل الصفا فخرجتُ حتّى قرعتُ الباب فقالوا
مَنْ قلتُ ابن الخطاب و قد علموا شدّتى على رسول اللّٰه صلّى اللّٰه عليه و سلّم
فما اجترأ أحد يفتح الباب حتّى (١٦) قال صلّى اللّٰه عليه و سلّم افتحوا له ففتحوا
إلىّ فأخذ رجلان بِعَضدى حتّى أتيانى النبىّ صلّى اللّٰه عليه و آله و سلّم فقال
خلّوا عنه ثمّ أخذَ بمجامع قميصى و جذَبنى إليه ثمّ قال أسلمْ يا ابنَ الخطاب
اللّٰهمّ اهْدِه فتشهّدت فكبّر المسلمون تكبيرةً سُمِعَتْ بفجاج مكّة

ʻUMAR IBN AL-KHAṬṬĀB AS CALIPH

قال قتادة كان عُمر يلبس و هو خليفةٌ جبّةً من صوف مرقوعة بعضها بأدم
و يطوف فى الأسواق على عاتقه الدرّةُ يؤدّب بها الناسَ و يمرّ بالنكْث
و النوَى فيلتقطه و يُلْقيه فى منازل الناس ينتفعون به و قال (١٧) أنس رأيتُ بين
كتفى عُمر أربع رقاعٍ فى قميصه و قال أبو عثمان النهدىّ رأيتُ على عمر
إزارًا مرقوعًا بأدم و قال عبدُ اللّٰه بن عامر بن ربيعة حججتُ مع عُمر فما ضربَ
فسطاطًا و لا خباءً كان يُلْقى الكساء و النطع على الشجرة و يستظلّ تحته
و قال عبدُ اللّٰه بن عيسى كان فى وجه عُمر بن الخطاب خطّان أسودان من
البكاء و قال (١٨) الحسنُ كان عُمر يمرّ بالآية من وِرْدِه فيسقط حتّى يعاد
منها أيامًا و قال أنس دخلتُ حائطًا فسمعتُ عُمر يقول و بينى و بينه جدارٌ (١٩)
عُمر بن الخطاب أمير المؤمنين بَخْ (٢٠) واللّٰهِ لَتتّقينّ اللّٰه ابنَ الخطاب أو

ليعذبنّك اللّٰه و قال عبدُ اللّٰه بن عامر بن ربيعة رأيتُ عُمر أخذ تبنةً من الأرض فقال يا لَيْتَنِي كنتُ هذه التبنةَ يا ليتنى لم (٢١) أكُ شيئًا ليتَ أمّى لم تَلِدْنى

THE DEATH OF AL-ḤUSAIN

بعثَ أهلُ العراق إلى (٢٢) الحسين الرسلَ و الكتبَ يدعونه إليهم فخرجَ من مكّة إلى العراق فى عَشْر ذى الحِجّة و معه طائفةٌ من آل بيته رجالًا و نساءً و صبيانًا فكتبَ (٢٣) يزيدُ إلى واليه بالعراق عبيد اللّٰه بن زياد (٢٤) بقِتالِه فوجّه إليه جيشًا (٢٥) أربعة آلاف عليهم عُمر بن سعد بن أبى وقاص فخذلَه أهلُ الكوفة كما هو شأنُهم مع أبيه من قبْله فلمّا رهقَه السُلّاح عرضَ عليهم الاستسلام و الرجوع و المضى إلى يزيد فيضعَ يدَه فى يده فأبَوْا إلّا قتلَه فقُتل و جِئ برأسِه فى طست حتّى وُضع بين يدى ٱبن زياد لعنَ اللّٰه قاتلَه و ٱبنَ زياد معه و يزيدَ أيضا و كان قتْلُه بكربلاء و فى قتله قصّةٌ فيها طولٌ لا يحتمل القلبُ ذكرَها فإنّا للّٰه و إنّا إليه راجعون و قُتل معه ستّة عشر رجلًا من أهل بيته و لمّا قُتل الحسين مكثتِ الدنيا سبعة أيّامٍ و الشمسُ على الحيطان كالملاحف المعصفرة و الكواكب يضرب بعضُها بعضًا و كان قتلُه يومَ عاشوراء و كسفتِ الشمسُ ذلك اليوم و ٱحمرّت آفاق السماء ستّة أشهر بعد قتله ثمّ لا زالت الحمرة تُرى فيها بعد ذلك و لم تكن ترى فيها قبله و قيل إنّه لم يُقلَب حجرُ بيت المقدّس يومئذٍ إلّا وُجد تحته دم عبيط و صار الورسُ الذى فى عسكرهم رمادًا و نحروا ناقةً فى عسكرهم فكانوا يرون فى لحمها مثل النيران

و طبخوها فصارت مثل العلقم و تكلّم رجل فى الحسين (٢٦)بكلمةٍ فرماه الله بكوكبَيْن من السماء فطمس بصره

NICEPHORUS' LETTER

فى سنة سبع و ثمانين (٢٧)أتاه كتابٌ من ملك الروم (٢٨)نيقفور بنَقْضِ الهدنة التى كانت عُقِدت بين المسلمين و بين المَلِكة (٢٩)رينى ملكة الروم و صورةُ الكتاب من نيقفور ملك الروم إلى هارون ملك العرب (٣٠)أمّا بعد فإنّ الملكةَ التى كانت قبلى كانت أقامتك مقام الرخّ و أقامت نفسَها مقام البيذق فحملتْ إليك من أموالها أحمالا و ذلك لِضعْف النساء و حمقِهنّ فإذا قرأتَ كتابى فارددْ ما حصل قبلك من أموالها و إلّا فالسيفُ بيننا وبينك فلمّا قرأ الرشيد الكتاب ٱستشاط غضبا حتّى لا يتمكّن أحد أن ينظر إلى وجهه (٣١)دون أن يخاطبَه وتفرّق جلساؤُه من الخوف و ٱستعجم الرأى على الوزير فدعا الرشيد بدواة و كتبَ على ظَهْر كتابه بسم الله الرحمان الرحيم من هارون أمير المؤمنين إلى نيقفور كلب الروم قد قرأتُ كتابَك يا ابنَ الكافرة و الجوابُ ما تراه لا ما تسمعه ثمّ سار (٣٢)ليومِه فلم يزل حتّى نازل مدينة هرقل (٣٣)و كانت غزوةً مشهورةً و فتحًا مُبِينًا

NEMESIS

قال السُّدّىّ أتيتُ كربلاء أبيع البزّ بها فعمل لنا شيخ من طىّ طعاما فتعشّينا عنده فذكرْنا قتْلَ الحسين فقلتُ ما شرك فى قتله أحد إلّا مات بأسوإ

مِيتة فقال (٣٤)ما أكذبكم يا أهلَ العراق فأنا فيمن شرك فى ذلك فلم نبرحْ
حتّى دنا من المصباح و هو يتّقد بنفْط فذهب يُخرج الفتيلة بأصبعه فاخذت
النارُ فيها فأخذ يطفئها بريقه فأخذت النار فى لحيته فعدا فألقى نفسه فى الماء
فرأيته كأنّه حُمَمَة

THE SUCCESSION

لمّا أراد (٣٥)معاويةُ البيعة ليزيد كتب إلى (٣٦)مروان و هو على المدينة
فقرأ كتابه فقال إنّ أميرَ المؤمنين قد كبرت سنّه و رقّ عظمه و قد خاف أن
يأتيه أمرُ اللّه فيدعَ الناس كالغنم (٣٧)لا راعىَ لها و قد أحَبَّ أن يُعْلم عَلَمًا
و يقيم إماما قالوا وفّق اللّه أمير المؤمنين و سدّده لَيفعل فكتب بذلك إلى
معاوية فكتب إليه أن سمِّ يزيد قال فقرأ الكتاب عليهم و سمّى يزيد فقام
عبد الرحمان بن أبى بكر فقال كذبتَ و اللّه يا مروان و كذب معاوية معك
لا يكونُ ذاك لا تُحْدِثوا علينا سُنّة الروم كلّما مات هِرقْل قام هرقل فقال
مروان هذا الذى قال اللّه تعالى (٣٨)وَ الّذِى قَالَ لِوَالِدَيْهِ أُفٍّ لَكُمَا أَتَعِدَانِنِي
أَنْ أُخْرَجَ

6

SPAIN

فلمّا ظهرتِ الفُرس و ٱستولتْ على البلاد و زاحمت اليونان على ما كان بأيديهم من المُلك ٱنتقل اليونان إلى جزيرة الأندلس لِكَوْنِها طرفا فى آخِر العمارة و لم يكن لها ذكرٌ يومَ ذاك و لا مَلَكَها أحدٌ من الملوك المعتبرة و لا كانت عامرةً و كان أوّل من عَمَرَ فيها و ٱختطّها أندلس بن يافث بن نوح عليه السلام فسُمّيتْ بٱسمه و لما عُمرتِ الأرض بعد الطوفان كان صورةُ المعمور منها عندهم شكْلَ طائر رأسُه المشرق و الجنوب و الشمال رجلاه و ما بينهما بطُنه والمغرب ذَنَبُه فكانوا يزدرُوْن المغرب لنسبته إلى أخسّ الطائر و كانت اليونان لا ترى فناء الأمم بالحروب لما ترى فيه من الاضرار و الاشتغال عن العلوم التى كان أمرُها عندهم أهمَّ الأمور فلذلك ٱنحازوا بين يدى الفُرس إلى الأندلس فلمّا صاروا إليها أقبلوا على عِمارتها فشقّوا الأنهار و بَنَوْا المعاقل و غرسوا الكُرُوم و الجِنان و شيّدوا الأمصار و ملؤوها حرْثًا و نسْلًا و بنيانًا فعظُمتْ و طابتْ حتّى قال قائلُهم لَمَّا رأى بَهْجَتها إنّ الطائر الذى صُوّرت العمارةُ على شكله و كان المغربُ ذنبَه كان طاؤوسًا و مُعْظَمُ جَمالِهِ فى ذنبه فٱغتبطوا بها أتمّ ٱغتباطٍ و ٱتّخذوا دارَ المُلك و الحكمة بها مدينةَ طليطلة لأنّها وسْطُ البلاد و كان أهمّ الأمور عندهم تحصينها عمّن يتّصل به خبرُها مِن الأمم فنظروا فإذا ليس ثَمَّ مَن يحسدهم على أرغد العيش إلّا أرباب الشظف و الشقاء و هم يومَ ذاك طائفتان العربُ و البربرُ فخافوهم على جزيرتهم

المَعْمُورة فعزموا أن يتّخذوا لِدَفْع هذَيْن الجنسَيْن من الناس طلسمًا فرصدوا لذلك أرصادًا و لمّا كان البربر بالقُرْب منهم و ليس بينهم سِوَى تَعْدِيَة البحر و يَرِدُ عليم منهم طوائفُ مُنْحرفة الطباع خارجة من الأوضاع فآزدادوا منهم نفورًا و كَثُرَ تَحذُّرهم من مُخالِطَتهم فى نسل أو مجاورة حتّى ثبت ذلك فى طباعهم و صار بُغْضهم مركّبًا فى غرائزهم فلمّا علمَ البربرُ عداوة أهل الأندلس و بغْضهم أبغضوهم و حسدوهم فلا تجد أندلسيًّا إلّا مبغضًا بربريًّا و لا بربريًّا إلّا مبغضًا أندلسيًّا إلّا أنّ البربرَ أحوجُ إلى أهل الأندلس من أهل الأندلس إلى البربر لِكثرة وجود الأشياء بالأندلس و عدمها بالبربر و كان بنواحى غرب جزيرة الأندلس مَلِكٌ يونانىٌّ بجزيرة يُقَال لها قَادِس و كانت له آبنةٌ فى غاية الحُسن و الجَمَال فتسامع بها ملوك الأندلس و كانت جزيرةُ الأندلس كثيرةَ الملوك لكلّ بلدةٍ أو بلدتَيْن ملكٌ[1] تَنَاصُفًا منهم فى ذلك فخطبَها كلّ واحد منهم و كان أبوها يخشى من تزويجها لواحدٍ منهم و إسخاط الباقين فتَحَيَّرَ فى أمره و أحضرَ آبنته المذكورة و كانت الحكمةُ مركّبة فى طباع القوم ذُكُورهم و إناثهم و لذلك قيل انّ الحكمة نزلت من السماء على ثلاثة أعضاء من أهل الأرض على أدمغة اليونان و أيدى أهل الصين و أَلْسِنَةِ العرب فلمّا حضرتْ بين يديه قال لها يا بُنَيَّة إنّى قد أصبحتُ فى حيرة من أمرى قالت و ما حيّرك قال قد خطبَك جميعُ ملوك الأندلس و متى أرضيت واحدا أسخطتُ الباقين فقالت أجعل الأمر إلَّى تتخلّصْ من اللوم قال و ما تصنعين قالت أقترحُ لنفسى أمرًا مَن فَعَلَهُ كنتُ زوجتَه و من عجز عنه لم يحسن به السخطُ قال و ما الذى تقترحين قالت أقترح أن

يكونَ مَلِكًا حكيمًا قال [٢] نِعْمَ ما ٱخترتِ لنفسِكِ و كتبَ فى أجوبة الملوك الخُطَّاب إنّى جعلتُ الأمر إليها فأختارتْ من الأزواج الملكَ الحكيمَ فلمّا وقفوا على الأجوبة سكت عنها كلّ مَن لم يكن حكيمًا و كان فى الملوك رجلان حكيمان فكتب كلٌّ واحدٍ منهما إليه أنا الرجلُ الحكيم فلمّا وقف على كتابَيْهما قال يا بُنيّة بقى الأمرُ على إشكاله و هذان ملكان حكيمان أيّهما أرضيتُ أُسخطُ الآخَرَ قالت سأقترحُ على كلّ واحد منهما أمرًا يأتى به فأيُّهما سبق إلى الفراغ ممّا ألتمسُه تزوّجتُ به قال و ما الذى تقترحين عليهما قالت إنّا ساكنون بهذه الجزيرة و نحن محتاجون إلى رُحىّ تدور بها وإنّى مُقترِحة على أحدهما إدارتَها بالماء العذب الجارى إليها من [٣] ذلك البرّ و مقترحة على الآخَر طلسمًا يُحَصِّنُ به جزيرة الأنداس من البربر فٱستظرف أبوها ٱقتراحها و كتبَ إلى المَلكَيْن بما قالته بنْتُه فأجابا إلى ذلك و تقاسماه على ما ٱختارا و شرَعَ كلٌّ واحد فى عمل ما نُدِب إليه من ذلك فأمّا صاحب الرحىّ فإنّه عمد إلى خرز عظَام ٱتّخذَها من الحجارة و نضّدها بعضها فى بعض فى البحر المالح الذى بين جزيرة الأندلس و البرّ الكبير فى الموضع المعروف بِزُقَاق سبتة و سدّ الفروج التى بين الحجارة بما ٱقتضتْه حِكمتُه و أوصلَ تلك الحجارة من البرّ إلى الجزيرة و آثارُها باقيةٌ إلى اليوم فى الزقاق الذى بين سبتة و [٤] الجزيرة الخضراء وأهلُ الأندلس يزعمون أنّ ذلك أثرُ قنطرةٍ كان لِإسكندر قد عملَها ليعبرَ عليها الناسُ من سبتة إلى الجزيرة و اللّٰهُ أَعْلَمُ أىّ ذلك أصحُّ فلمّا تَمَّ تنضيد الحجارة لِلمَلِك الحكيم جلب إليها الماء العذب من موضعٍ عالٍ فى الجبل بالبرّ الكبير و سلّطَه على

ساقيةٍ مُحْكَمة البناء و بَنَى بجزيرة الأندلس رُحىّ على هذه الساقية و أمّا
صاحب الطلسم فإنّه أبطأ عملَه بسبب ٱنتظار الرَصْد المُوَافِق لعمله غيرَ أنّه
عملَ عملَهُ و أحكمَه و ٱبتنى بنيانًا مربّعًا من حجر أبيض على ساحل البحر فى
رملٍ حَفَرَ آساسَه إلى أن جعلَهُ تحتَ الأرض بمقدار ٱرتفاعِه فوق الأرض
ليثبتَ فلمّا ٱنتهى البناء المربّع إلى حيث ٱختار صَوَّر من النحاس الأحمر
و الحديد المصفّى المخلوطَيْن بأحكم الخَلْط صورةَ رجلٍ بربرىٍّ له لحيةٌ و فى رأسه
ذؤابة من شعرٍ جعدٍ قائم فى رأسه لجعودها متأبّط بصورة كساءٍ قد جَمعَ طرفَيْه
على يده اليسرى بأرطب تصوير و أحكمه فى رجلَيْه نَعْلَ و هو قائم فى رأس البناء
على مُسْتَدَقّ بمقدار رجلَيْه فقَطْ و هو شاهق فى الهواء طُولُه نيف عن ستّين[٥]
ذراعًا أو سبعين و هو محدّد الأعلى إلى أن ينتهى إلى ما سَعَتُه قدرُ الذراع و قد
مدّ يده اليمنى بمفتاح قُفْلٍ قابضًا عليه مُشيرًا إلى البحر كأنّه يقول لا عُبورَ و كان
من تأثير هذا الطلسم فى البحر الذى تُجَاهَهُ أنّه لم يُرَقَطّ ساكنًا و لا كانت تجرى
فيه قطّ سفينةٌ بربرىٍّ[٦] حتّى سقط المفتاح من يده و كان الملكان العاملان للطلسم
و الرحى يتسابقان إلى التمام من عملهما إذ كان بالسبق يستحقّ التزويجَ و كان
صاحب الرحى قد فرغ لكنّه يَخْفِى أمرَه عن صاحب الطلسم حتّى لا يعلم به فيُبَطِّل
عملَ الطلسم و كان يودّ عملَ الطلسم حتّى يحظى بالمرأة و الرحى و الطلسم فلمّا
عَلِمَ اليومَ الذى يفرغُ صاحبُ الطلسم فى آخرِه أَجْرَى الماء بالجزيرة من أوّله
وأدارَ الرحى و ٱشتهر ذلك و ٱتّصل الخبرُ بصاحب الطلسم و هو فى أعلاه
يَصْقُلُ وجهَه و كان الطلسم مُذَهَّبًا فلمّا تحقّق أنّه مَسْبُوق ضعفت نفسُه فسقطَ
من أعلى البناء ميتًا و حَصَلَ صاحبُ الرحى على الرحى و المرأة و الطلسم

7

AFRICA

A PROPHECY OF THE MURDER OF UTHMAN

حدّثَنَا عبدُ اللّه بن معشر الإيلى أنّ [١]مروان بن الحكم أقبل من إفريقية
أرسلَه [٢]عبدُ اللّه بن سعد و وَجَّهَ معه رجلًا من العرب من [٣]لخم أو جذام
[٤]شكّ عبدُ الرحمان [٥]قال فَسِرْنا حتّى إذا كنّا ببعض الطريق قَرِب الليل
فقال لى صاحبى [٦]هل لَكَ إلى صديقٍ لى هاهنا قلتُ ما شئتَ قال فعَدَلَ بى
عن الطريق حتّى أتى إلى ديرٍ و إذا سلسلة معلّقة فأخذَ السلسلة فحرّكها
و كان أعلم منّى فأشرف علَيْنا رجلٌ فلمّا رآنا فتحَ الباب فدخلْنا فلم يتكلّم حتّى
طرح لى فراشًا و لصاحبى فراشًا ثمّ أقبل على صاحبى يكلّمه بلسانه فَرَاطَنَهُ
حتّى سؤتُ ظنًّا ثمّ أقبل علىّ فقال [٧]أىّ شىءٍ قرابتُك من خليفتهم قلتُ ٱبن
عمّه قال هل أحدٌ أقربُ إليه منك قلتُ لا إلّا أن يكون ولده قال صاحبُ
أرض المقدّسة أنتَ قلتُ لا قال فإن ٱستطعتَ أن تكونَ هو فٱفعلْ ثمّ قال
أُريد أن أُخبرَك بشىءٍ وأخافُ أن تضعف عنه قال قلتُ إلىّ تقول هذا و أنا
أنا ثمّ أقبل على صاحبى فراطنه ثمّ أقبل علىّ فساءَلنى عن مثل ذلك
و أجبتُه بمثل جوابى فقال إنّ [٨]صاحبَك مقتولٌ و إنّا نجد أنّه يَلِى هذا الأمرَ
مِن بعده صاحبُ الأرض المقدّسة فإن ٱستطعتَ أن تكون ذلك فٱفعلْ فأصابتْنى
لذلك وجمةٌ فقال لى قد قلتُ لك إنّى أخافُ ضعفَك فقلتُ و ما لِى لا يُصيبنى

[9]أو كما قال و قد نعيتَ إلىّ سيّدَ المسلمين و أميرَ المؤمنين قال ثمّ قدمتُ المدينة فأقمتُ شهرًا لا أذكرُ [10]لعثمان من ذلك شيئًا ثمّ دخلتُ عليه و هو فى منزلٍ له على سريرٍ و فى يده مروحةٌ فحدّثته بذلك فلمّا ٱنتهيتُ إلى ذكْر القتل بكيتُ و أسكتُ فقال لِى عثمان تحدّثْ [11]لا تحدّثتَ فحدّثتُه فأخذ بطرف المروحة يعضّها — أحسبُه قال عند الرحمان — و ٱستلقى على ظَهْره و أخذ بطرف عقبِه يعركه حتّى ندمتُ على إخبارى إيّاه ثمّ قال لِى صَدَقَ و سأُخبرك عن ذلك لمّا غزا رسولُ اللّه صلّى اللّه عليه و سلّم [12]تبوك أعطى أصحابَه [13]سهمًا سهمًا و أعطانى سهمَيْن فظننتُ أنّ رسولَ اللّه صلّى اللّه عليه و سلّم إنّما أعطانى ذلك لِمَا كان مِن نَفَقَتِى فى تبوك فأتيتُ رسولَ اللّه صلّى اللّه عليه و سلّم فقلتُ إنّك أعطيتَنى سهمَيْن و أعطيتَ أصحابى سهمًا سهمًا فظننتُ أنّ ذلك لما كان من نفقتى فقال رسول اللّه صلّى اللّه عليه و سلّم لا ولكن أحببتُ أن يَرَى الناس مكانَك منّى [14]أو منزلتَك منّى فأدبرتُ فلحقَنِى عبدُ الرحمان بن عوف فقال ما ذا قلتَ لرسول اللّه صلّى اللّه عليه و سلّم ما زال يتبعك بصرُه فظننتُ أنّ قولى قد خالف رسولَ اللّه صلّى اللّه عليه و سلّم فأمهلتُ حتّى إذا خرج إلى الصلاة أتيتُه فقلتُ يا رسولَ اللّه إنّ عبدَ الرحمان بن عوف أخبرنى بكذا و كذا أتوبُ إلى اللّه أو كما قال فقال لا ولكنّك مقتولٌ أو قاتلٌ فَكُنِ المقتولَ

A BERBER QUEEN

قَدِم حسانُ بن النعمان واليًا على المغرب أمّره عليها [15]عبدُ الملك بن مروان فى سنة ثلٰث و سبعين فمضى فى جيشٍ كبيرٍ حتّى نزل أطرابلس و ٱجتمع

إليه بها مَن كان خرج من إفريقية و أطرابلس فوجّه على مقدمته محمّد بن أبى بُكَير و هِلال بن ثروان اللواتىّ و زُهَير بن قَيْس ففتح البلادَ و أصاب غنائمَ كثيرةً و خرج إلى مدينة قرطاجنة و فيها الرُوم فلم يُصِب فيها إلّا قليلاً من ضعفائهم فٱنصرف و غزا الكاهنةَ و هى إذ ذاك ملكةُ البربر و قد غلبتْ على جُلّ إفريقية فلَقِيُّهما على نهرٍ يُسمّى اليومَ نهر البلاء فٱقتتلوا قتالاً شديدًا فهزَمَتْه و قتلتْ من أصحابه و أسرتْ منهم ثمانين رجلًا و أفلتَ حسانُ و نفذ من مكانه إلى أطرابلس فنزل قصورا من حيّز برقة فسُمّيَتْ قصور حسان و ٱستخلف على إفريقية أبا صالح فأحسنتِ الكاهنةُ إسارَ مَن أسرتْه من أصحابه و أرسلتْهم إلّا رجلًا منهم من بنى عَبْس يُقَال له خالد بن يزيد فتبنّتْه و أقام معها فبعث حسانُ إلى خالد رجلًا فأتاه فقال له إنّ حسانَ يقول لك ما يمنعك من الكتاب إلينا بخَبَرِ الكاهنة فكتبَ خالد بن يزيد إلى حسان كتابًا و جعله فى خبزة مَلَّة ثمّ دفعها إلى الرسول ليخفى فيها الكتابَ و ليظنّ مَن رأى الخبزة أنّها زادُ الرجلِ فخرجتِ الكاهنة و هى تقول يا بنىّ هلاكُكم فيما تأكله الناسُ فكرّرتْ ذلك و مضى الرسول حتّى قدم على حسان بالكتاب فيه عِلْمُ ما يُحْتَاج إليه ثمّ كتب إليه أيضا كتابًا آخَر و جعله فى قربوس حفرَهُ و وضع الكتاب فيه و أطبق عليه حتّى ٱستوى و خَفِى مكانُه فخرجتِ الكاهنة أيضا و هى تقول يا بنىّ هلاكُكم فى شئٍ من نبات الأرض ميتٍ فكرّرتْ ذلك و مضى حتّى قدم على حسان فندب أصحابَه ثمّ غزاها فلمّا توجّه إليها خرجتْ ناشرة شَعْرها فقالت يا بنىّ ٱنظروا ما ذا تَرَوْن فى السماء قالوا نَرى شيئًا من سحاب أحمر قالت لا والّٰهى و لكنّها رهجُ خيلِ العرب

ثمّ قالت لخالد بن يزيد إنّى إنّما كنتُ تبنّيتُك لِمثل هذا اليوم أنا مقتولةٌ فأوصيك بأخويك هذَيْن خيرًا فقال خالد إنّى أخافُ إن كان ما تقولين حقًّا ألّا يُستبقَيا قالت بَلَى و يكونُ أحدُهما عند العرب أعظم شأنًا منه اليومَ فٱنطلقْ و خُذْ لهما أمانًا فٱنطلقَ خالد فلقى حسان فأخبره خبرَها و أخذ لٱبنيها أمانًا و كان مع حسان جماعةٌ من البربر من (١٦) البُتْر فولّى عليهم حسانُ الأكبرَ من ابنَيِ الكاهنة و قرّبه و مضى حسان و مَن معه فلقى الكاهنةَ فى أصل جبلٍ فقُتِلَتْ و عامّةُ مَن معها

8

THE WONDERS OF THE WORLD

GREECE

يُونان موضعٌ كان بأرض الروم به مُدُن و قُرى كثيرةٌ و إنّها منشأ الحكماء اليونانيّين و الآن ٱستولى عليها الماءُ مِن عجائبِها أنّ مَن حَفِظ شيأً فى تلك الأرض لا ينساه أو يبقى معه زمانًا طويلاً و حَكَى التجّارُ أنّهم إذا ركبوا البحرَ و وصلوا إلى ذلك الموضع تذكّروا ما غاب عنهم و لهذا نشأ بهذه الأرض الحكماءُ الفضلاءُ الذين لم يُوجَدْ أمثالُهم فى أرض أُخرى إلاّ نادرًا يُنْسَب إليها سُقْراط أُستاذ افلاطون و كان حكيمًا زاهدًا فى الدنيا و نعيمِها راغبًا فى الآخِرة و سعادتها دعا الناس إلى ذلك فأجابه جمعٌ من أولاد الملوك و أكابر الناس فٱجتمعوا عليه يأخذون منه غرائب حكمتِه و نوادر كلامِه فحسدَه جمعٌ فٱتّهموه بِمَحَبَّة الصبيان و ذكروا أنّه يتهاون بِعبادة الأصنام و يدعو الناس إلى ذلك و سَعَوْا به إلى المَلِك و شهدَ عليه جمعٌ بزُور عند قاضيهم و حكمَ قاضيهم عليه بالقتل فحُبِس و عنده فى الحَبْس سبعون فيلسوفًا من مُوافِق و مُخالِف يناظرونه فى بقاء النفس بعدَ مُفارَقة البدن فصحّح رأيه فى بقاء النفس فقالوا له هَلْ لَكَ أن نُخلّصك عن القتل بِفِدَاءٍ أو هربٍ فقال أخافُ أن يقالَ لِى لِمَ هربتَ من حُكْمنا يا سقراط فقالوا تقول لِأنّى كنتُ مظلومًا فقال أرَأَيْتُمْ أن يُقال إن ظَلَمَك القاضى و العدول فكان من الواجب أن تَظْلِمَنا و تفرّ من حُكْمنا فماذا يكون جوابى و ذاك أنّ القومَ كان فى

شريعتهم أنّه إذا حَكَم عدلان على واحدٍ يَجِب عليه الانقيادُ و إن كان مظلومًا فلذلك ٱنقادَ سقراط للقتل فأزمعوا على قَتْله بالسمّ فلمّا تناول السمّ ليشربَه بكى مَن حولَه مِن الحكماء حزنًا على مفارقته قال إنّى وإن كنتُ أفارقُكم إخوانًا فضلاء (١) فها أنا ذاهبٌ إلى إخوان كِرام حكماء فضلاء و شَرِب السمّ و قَضى نَحْبَه و يُنسَب إليها افلاطون أستاذ أرسطوطاليس فكان حكيمًا زاهدًا فى الدنيا ويقول بالتَناسُخ فَوَقَعَ فى زمانه وباءٌ هَلَك مِن الناس خلقٌ كثيرٌ فتضرّعوا إلى اللّه تعالى مِن كَثْرَة الموت و سألوا نبيَّهم و كان من أنبياء بنى إسرائيل عن سبب ذلك فأَوْحَى اللّهُ تعالى إليه أنّهم متى ضعّفوا مذبحًا لَهُمْ على شكل المكعّب ٱرتفعَ عنهم الوباء فأظهروا مذبحًا آخَر بِجَنْبِه و أضافوه إلى المذبح الأوّل فَزَادَ الوباء فعادوا إلى النبىّ عليه السلام فأوحى اللّهُ تعالى إليه أنّهم ما ضعّفوا بل قَرَنوا به مثلَه و ليس هذا تضعيف المكعّب فٱستعانوا بافلاطون فقال إنّكم كنتم تردّون الحكمةَ و تمتنعون عن الحكمة و الهندسة فأبلاكم اللّه تعالى بالوباء عقوبةً لتعلموا أنّ العلومَ الحكميّة و الهندسيّة (٢) عند اللّه بمكانةٍ ثُمّ ألقى أصحابَه إنّكم متى أمْكَنَكم (٣) ٱستخراجُ خطّين من خطّين على نسبةٍ متواليةٍ تَوَصّلْتُمْ على تضعيف المذبح فإنّه لا حيلةَ فيه دُونَ ٱستخراجِ ذلك فتعلّموا ٱستخراجَ ذلك فٱرتفع الوباء عنهم فلمّا تبيّن للناس من أمْر الحكمة هذه الأعجوبةُ تلمذ لافلاطون خلقٌ كثيرٌ منهم أرسطاطاليس و ٱستخلفه على كرسىّ الحكمة بَعْدَهُ و كان افلاطون تاركًا للدنيا لا يحتمل منه أحد و لا يعلّم الحكمةَ إلّا مَن كان ذا فطانةٍ و نفسٍ خبرةٍ و التلميذ يأخذ منه الحكمة قائمًا لٱحترام الحكمة حُكِى أنّ

الإسكندر ذهب إليه و كان افلاطون أستاذَ أستاذِه فوقف إليه و هو فى مَشْرَقة قد أَسْنَدَ ظَهْرَه إلى جدارٍ يأوى إليه فقال له الإسكندر (٤) هل من حاجةٍ فقال حاجتى أن تُزِيل عنّى ظلّك فقد منعْتَنى الوقوفَ فى الشمس فدعا له بذَهَبٍ و كسوة فاخرة مِن الديباج و القصب فقال ليس بافلاطون حاجةٌ إلى حجارة الأرض و هَشْمِ النبات و لُعَاب الدود و إنّما حاجته إلى شىْءٍ يكون معه أَيْنَما تَوَجَّهَ و يُنسب إليها أرسطاطاليس و يُقال له المُعَلّم الأوّل لأنّه نقّح عِلْمَ الحكمة و أسقط سخيفها و قرّر إثباتَ المُدّعَى و طريقَ التوجيه و كان قَبْلَه يأخذون الحكمة تقليدًا و وَضَعَ علمَ المنطق و خالف أستاذه افلاطون و أبْطل التَنَاسُخ قِيلَ له كيف خالفْتَ الأستاذ فقال الأستاذ صديقى و الحقُّ أيضا صديقى لكنّ الحقَّ أحبُّ إلىّ من الأستاذ و كان أستاذَ الإسكندر و وزيرَه فأخذ الإسكندر برأيه الأرضَ كلَّها و حُكِى أنّ الإسكندر قال لأرسطاطاليس قد ورد الخبرُ بِفَتْحِ المدينة التى أنت منها فماذا تَرَى قال أرسطوطاليس أَرَى أن لا يُبقى على واحدٍ منهم كَيْلا يرجعَ أحدٌ يُخَالِفُك فقال الإسكندر أمرتُ أن لا يُؤذَى أحدٌ فيها ٱحترامًا لجانبك فكلامُ الوزير عَجَبٌ و كلام الملك أعجبُ منه و يُنسب إليها ديوجانس و كان حكيمًا تاركًا للدنيا مُفَارِقًا لشهواتها و لذّاتها مختارًا للعزلة حُكِى أنّه كان نائمًا فى بستانٍ فى ظلّ شجرةٍ فدخل عليه بعضُ الملوك فرَكَلَهُ برِجْلِه و قال له قد ورد الخبرُ بِفَتْحِ بلدتك فقال أيّها الملك فَتْحُ البلاد عادةُ الملوك لكنّ الرَكْلَ من طباع الدوابّ و حُكِى أنّه رأى صيّادا يكلّم ٱمرأةً حسناءَ فقال له أيّها الصيّاد ٱحذرْ أن تُصاد و حُكِى أنّه رأى ٱمرأة

حسناء خرجتْ لِلْمَنْظَارة يَوْمَ عِيدٍ فقال هذه ما خرجتْ لِتَرَى انّما خرجت لِتُرَى

FRANCE

إفرنجة أرضٌ واسعةٌ فى آخِر غربىّ الإقليم السادس ذَكَر (٥) المسعودى أنّ بها نحو مائة و خمسين مدينةً قاعدتُها بَرِيزة و أنّ طولَها مسيرةُ شهر و عرضها أكثر و أنّها غير خصبة لِكَوْنِها رديئة المَحْرَث قليلة الكَرْم معدومة الشجر و أهلُها الإفرنج و هم نصارى أهل حرب فى البرّ و البحر و لهم صبرٌ و شدّةٌ فى حروبهم (٦) لا يَرَوْن الفرار أصلًا لأنّ القتلَ عندهم أسهلُ من الهزيمة و مَعَاشُهم على التجارة و الصناعات

IRELAND

إيرلاندة جزيرة فى شمالىّ الإقليم السادس و غربيّها قال العُذْرِى ليس للمَجُوس قاعدةٌ إلّا هذه الجزيرة فى جميع الدنيا و دَوْرُها ألف ميلٍ و أهلُها على رسم المجوس و زيّهم يلبسون برانس قيمةُ واحدٍ منها مائة دينار و أمّا أشرافهم فيلبسون برانس مكلّلة بالآلآئ و حُكِي أنّ فى سواحلها يصيدون فراخَ الأبلينة و هو نُونٌ عظيم جدًّا يصيدون أجراءَها يتأدّمون بها و ذكروا أنّ هذه الأجراء تتولّد فى شهر أيلول فُتصاد فى تِشْرين الأوّل و الثانى و كانون الأوّل و الثانى فى هذه الأشهر الأربعة و بعد ذلك فصَلبَ لَحْمُها لا يصلح لِلأكل أمّا كيفيّة صَيْدِها فذكر العذرى أنّ الصيّادين يجتمعون فى

مراكب و معهم نشيلٌ كبيرٌ من حديد ذو أضراس حِدَاد و فى النشيل حلقةٌ
عظيمةٌ قويّةٌ و فى الحلقة حبلٌ قويٌّ فإذا ظفروا بالجرو صفّقوا بأيديهم و صوّتوا
فيتلهّى الجرو بالتصفيق و يقرب من المراكب مستأنِسًا بها فينضمّ أحد
الملاحين إليها و يحكّ جبهتَه حكًّا شديدًا يستلذّ الجرو بذلك ثمّ يضع
النشيلَ وسطَ رأسِه و أخذ مطرقةً من حديدٍ قويّةً و يضرب بها على النشيل
بأتمّ قوّة ثلٰث ضربات فلا يحسّ بالضربة الأولى و بالثانية و الثالثة يضطرب
اضطرابًا شديدًا فربّما صادف بذنبه شيأً من المراكب فيعطّبها و لا يزال
يضطرب حتّى يأخذه اللغوبُ ثمّ يتعاون ركّابُ المراكب على جذبه حتّى
يصير إلى الساحل

9

MA'N IBN ZĀ'IDA

أَخْبَرَنِي حُبَيب بن نصر المُهَلَّبِيّ قال حدّثنا عبد الله بن أبى سعد قال حدّثنى محمد بن نعيم البَلْخيّ أبو يونس قال حدّثنى مروان بن أبى حفصة و كان لى صديقًا قال كان (١) المنصورُ قد طلب معْن بن زائدة طلبًا شديدًا و (٢)جعل فيه مالاً فحدّثنى معنُ بن زائدة فى اليَمَن أنّه اَضطرّ لشدّة الطلب إلى أن أقام فى الشمس حتّى لوَّحتْ وجهَه و خفَّف عارضَيْه و لِحْيَته و لبس جُبَّة صوف غليظة و رِكب جملاً من الجِمال النَّقَّالة ليمضىَ إلى البادية فيُقيمَ بها و كان قد أَبْلَى فى حرب (٣)يزيد بن عمر بن هُبَيْرة بلاءً حسنًا غاظ المنصورَ و جدَّ فى طلبه قال مَعْنٌ فلمّا خرجتُ من (٤)باب حَرْب تَبِعَنى أسودُ متقلّدًا سيفًا حتّى إذا غِبتُ عن الحَرَس قبض على خِطام جملى فأناخه و قبض علىّ فقلتُ له ما لكَ قال أنتَ طِلْبَةُ أميرِ المؤمنين فقلتُ و من أنا حتّى يطلبنى أميرُ المؤمنين قال معن بن زائدة فقلتُ يا هذا اَتّقِ اللّه و أين أنا من معن قال دَعْ هذا عنك فأنا و الله أَعْرَفُ به منك فقلتُ له فإن كانت القصّة كما تقول فهذا جوهرٌ حملتُه معى يَفِى باضعاف ما بذلَه المنصورُ لمنَ جاءه بى فخُذْه و لا تَسْفِكْ دَمِي قال هاته فأخرجتُه إليه فنظر إليه ساعةً و قال صدقتَ فى قيمته و لستُ قابِلَه حتّى أسألك عن شئ فإن صدقتَنى أطلقتُك فقلتُ قُلْ قال إنّ الناسَ قد وصفوك بالجود فأخبِرْنى هل وهبتَ قطّ مالَك كلّه قلتُ لا قال فنِصْفَه قلتُ لا قال فثُلثَه قلتُ لا حتّى بلغ العُشرَ فاَستحييتُ فقلتُ أظنّ أنّى قد

فعلتُ هذا فقال ما أراك فعلتَه أنا والله راجلٌ ورزقى من [5]أبى جعفر
عشرون درهمًا و هذا الجوهر قيمتُه آلافُ دنانير و قد وهبتُه لك و وهبتُك
لنفسِك و لجودك المأثور عنك بين الناس و لتعلمَ أنّ فى الدنيا أجودَ منك فلا
تُعْجِبك نفسُك و لتَحْقِرَ بعد هذا كلَّ شىء تفعله و لا تتوقّف عن مكرمة ثمّ رمى
بالعقد فى حِجْرِى و خلّى خِطامَ البعير و ٱنصرفَ فقلتُ يا هذا قد و اللهِ
فضحتَنى و لَسَفْكُ دمى أهونُ علىَّ ممّا فعلتَ فَخُذْ ما دفعتُه إليك فإنّى غنىّ
عنه فضحِك ثمّ قال أردتَ ان تكذّبنى فى مقامى هذا و اللهِ لا آخذه و لا آخذ
بمعروفٍ ثمنًا أبدًا و مضى فواللهِ لقد طلبتُه بعد أن أَمِنتُ و بذلتُ لِمَنْ
جاءنى به ما شاء فما عرفتُ له خبرًا و كأنّ الأرض ٱبتلعتْه قال و كان سببُ
رضاء المنصور عن مَعْن أنّه لم يزل مستترًا حتّى كان [6]يومُ الهاشميّة فلمّا وثب
القوم على المنصور و كادوا يقتلونه وثَب مَعْن و هو متلثّم فٱنتضى سيفَه
و قاتل فأبلى بلاءً حسنًا و ذبَّ القومَ عنه حتّى نجا و هم يُحاربونه بعدُ ثمّ جاء
و المنصورُ راكب على بغلة و لجامُها بِيَدِ [7]الرَّبيع فقال له تَنَحَّ فإنّى أحقُّ
باللِّجام منك فى هذا الوقت و أعظمُ فيه غَناءً فقال له المنصور صدَق فٱدفعه
إليه فأخذه و لم يزل يقاتل حتّى ٱنكشفت تلك الحالُ فقال له المنصور من أنتَ
[8]لِلّهِ أبوك قال أنا طِلْبَتُكَ يا أميرَ المؤمنين معن بن زائدة قال قد أمَّنك
اللّهُ على نفسك و مالِك و مثلُك يُصْطَنع ثمّ أخذه معه و خلَع عليه و حَباه
و زيَّنه ثمّ دعا به يومًا و قال له إنّى قد أَمَّلْتُكَ لأمرٍ فكيف تكون فيه قال كما
يحبّ أمير المؤمنين قال قد ولّيتك اليمنَ فٱبسُط السيف فيهم حتّى يَنْقَض حِلفُ
[9]ربيعةَ و اليمن قال أبلُغُ من ذلك ما يحبّ أميرُ المؤمنين فولّاه اليمنَ و توجّه

إليها فبسط السيفَ فيهم حتّى أسرف قال مروان و قدِم مَعْن بِعَقْب ذلك فدخل على المنصور فقال له بعد كلام طويل قد بلغ أميرَ المؤمنين عنك شيءٌ لولا مكانُك عنده و رأيُه فيك لَغضِب عليك قال و ما ذاك يا أمير المؤمنين فواللّهِ ما تعرّضتُ لك قال إعطاؤك مروان بن أبى حفصة ألفَ دينار لِقولِه فيك

(١٠)مَعْنُ بن زائدةَ الذى زِيدَتْ به   شرفًا إلى شرفٍ (١١)بنو شَيْبان
(١٢)إن عُدَّ أيّامُ الفعالِ فإنّما   يوماه يومُ ندًى و يومُ طِعان

فقال واللّه يا أميرَ المؤمنين ما أعطيتُه ما بلغَك لهذا الشعر و إنّما أعطيته لقوله

(١٣)ما زلتَ يومَ الهاشميّة مُعْلِمًا   بالسيف دون خليفةِ الرحمان
فمنعتَ حَوْزَتَه وكنتَ وقاءَه   مِن وَقْعِ كُلِّ مُهَنَّدٍ و سِنان

فاستحيا المنصور و قال إنّما أعطيتَه ما أعطيته لهذا القول قال نَعَمْ يا أميرَ المؤمنين و اللّهِ لولا مخافةُ النِّقمة عندك لأمْكَنْتُه من مفاتيح بيوت الأموال و أبحتُه إيّاها فقال له المنصور (١٤)لِلّه درُّك من أعرابىّ

10

THE SUN AND THE MOON

فممّا رُوِى عن رسولِ اللّه صلّى اللّه عليه و سلّم . . .ما حدّثنى محمّد بن أبى منصور الآملىّ . . . عن [١] أبى ذَرٍّ الغِفارىّ قال كنتُ آخذًا بِيَدِ رسولِ اللّه صلّى اللّه عليه و سلّم و نحن نتماشى جميعًا نحو المغرب و قد طفلتِ الشمس فما زِلْنَا ننظر إليها حتّى غابتْ قال قلتُ يا رسولَ اللّه أين تغرب قال تغرب فى السماء ثمّ ترفع [٢] من سماءٍ إلى سماءٍ حتّى ترفع إلى السماء السابعة العليا حتّى تكون تحت العرش فتخرّ ساجدةً فتسجد معها الملائكة الموكَّلون بها ثمّ تقول يا ربِّ مِن أين تأمرنى أن أطلع أَمِن مغربى أم من مطلعى قال فذلك [٣] قولُه عزّ و جلّ [٤] وَ الشَّمْسُ تَجْرِى لِمُسْتَقَرٍّ لَهَا حيث تُحبَس تحت العرش ذٰلِكَ تَقْدِيرُ ٱلْعَزِيزِ ٱلْعَلِيمِ قال يعنى ذلك صُنْعُ الربّ العزيز فى مُلكه العليم بخَلْقه قال فيأتيها جبرئيل عليه السلام بحِلّة ضوءٍ من نور العرش على مقادير ساعات النهار فى طوله فى الصيف أو قِصَره فى الشتاء أو ما بين ذلك فى الخريف و الربيع قال فتلبس تلك الحلّة كما يلبس أحدُكم ثيابه ثم ينطلق بها فى جوّ السماء حتّى تطلع من مطلعها قال النبىّ صلّى اللّه عليه و سلّم فكأنّها قد حُبست مقدار ثلث ليالٍ ثمّ لا تُكسَى ضوءًا و تؤمر أن تطلع من مغربها فذلك قوله عزّ و جلّ [٥] إِذَا ٱلشَّمْسُ كُوِّرَتْ قال و القمرُ كذلك فى مطلعه و مجراه فى أفق السماء و مغربه و ٱرتفاعه إلى السماء السابعة العليا و محبسه تحت العرش و سجوده و ٱستئذانه ولكنّ جبرئيل عليه السلام يأتيه

بالحلّة من نور الكرسىّ قال فذلك قوله عزّ و جلّ (٦)جَعَلَ ٱلشَّمْسَ ضِيَاءً وَٱلْقَمَرَ نُورًا قال أبو ذرّ ثمّ عدلتُ مع رسول اللّه صلّى اللّه عليه و سلّم فصلّينا (٧)المغرب فهذا الخبر عن رسول اللّه صلّى اللّه عليه و سلّم يُنبىء أنّ سببَ ٱختلاف حالة الشمس و القمر إنّما هو أنّ ضوء الشمس من كسوةٍ كسيتْها من ضوء العرش و أنّ نور القمر من كسوة كسيها من نور الكرسىّ فأمّا الخبر الآخر الذى يدلّ على غير هذا المعنى فما حدّثنى محمّد بن أبى منصور. . عن عكرمة قال بينا (٨)ٱبن عبّاس ذات يوم جالس إذ جاءَهُ رجل فقال يا ٱبنَ عبّاس سمعتُ العجب من كعب الحبر يذكر فى الشمس و القمر قال و كان متّكئًا فٱحتفز ثمّ قال و ما ذاك قال زعم أنّه يُجَاءُ بالشمس و القمر يومَ القيامة كأنّهما ثوران عقيران فيُقذَفان فى جهنّم قال عكرمة فطارت من ٱبن عبّاس شفة و وقعتْ أخرى غضبًا ثمّ قال كَذَبَ كعب كَذَبَ كعب كَذَبَ كعب ثلث مرّات بل هذه يهوديّة يُريد إدخالَها فى الإسلام اللّهُ أجلُّ و أكرمُ مِن أن يعذّب على طاعته أَلَمْ تسمع قول اللّه تبارك و تعالى (٩)وَسَخَّرَ لَكُمُ ٱلشَّمْسَ وَٱلْقَمَرَ دَائِبَيْنِ إنّما يعنى دؤوبَهما فى الطاعة فكيف يعذّب عبدَيْن يُثنى عليهما أنّهما دائبان فى طاعته قاتل اللّهُ هذا الحبر و قبّح حبريّته (١٠)ما أجراَه على اللّه و أعظمَ فريته على هذَيْن العبدين المطيعين للّه قال ثمّ ٱسترجع مرارًا و أخذ عُويدا من الأرض فجعل ينكته فى الأرض فظلّ كذلك (١١)ما شاء اللّه ثمّ أنّه رفعَ رأسَه و رمى بالعويد فقال ألا أُحدّثكم بما سمعتُ من رسول اللّه صلّى للّه عليه و سلّم يقول فى الشمس و القمر وبدء خلقِهما و مصير أمرهما قلنا بلى رَحِمَكَ اللّهُ فقال إنّ رسولَ اللّه

صلّى اللّه عليه و سلّم سُئِل عن ذلك فقال إنّ اللّهَ تبارك و تعالى لمّا أبرم
خلقه إحكامًا فلم يَبْقَ مِن خلقه غير آدم خَلَقَ شمسَيْن من نورِ عرشِهِ فأمّا
ما كان فى سابقِ علمِهِ أنّه يَدَعها شمسًا فإنّه خَلَقَها مثل الدنيا ما بين
مشارقها و مغاربها و أمّا ما كان [١٢] فى سابق علمه أنّه يطمسها و يحوّلها
قمرًا فإنّه دون الشمس فى العِظْم و لكن إنّما يُرَى صغرُهما من شدّة ٱرتفاع
السماء وبُعْدها من الأرض قال فلو تركَ اللّهُ الشمسَيْن كما كان خَلَقهما فى
بدء الأمر لم يكن يُعرَف الليل من النهار و لا النهار من الليل و كان لا
يدرى الأجيرُ إلى متى يعمل و متى يأخذ أجره و لا يدرى الصائم إلى متى
يصوم و لا تدرى المرأة كيف تعتدّ و لا يدرى المسلمون متى وقتُ الحجّ و لا
يدرى الدُّيّان متى تحِلّ ديونهم و لا يدرى الناس متى ينصرفون لمعايشهم
و متى يسكنون لراحة أجسادهم و كان الربّ عزّ و جلّ أنظر لعباده و أرحم
بهم فأرسل جبرئيل عليه السلام فأمرّ جناحَهُ على وجه القمر و هو يومئذ
شمسٌ ثلث مرّات فطمس عنه الضوء و بقى فيه النور فذلك قوله عزّ وجلّ
وَ جَعَلْنَا ٱللَّيْلَ وَ ٱلنَّهَارَ آيَتَيْنِ فَمَحَوْنَا آيَةَ ٱللَّيْلِ وَ جَعَلْنَا آيَةَ ٱلنَّهَارِ مُبْصِرَةً [١٣]
قال فالسواد الذى ترونه فى القمر شبه الخطوط فيه فهو أثر المحو ثمّ خلق
اللّه للشمس عجلةً من ضوء نور العرش لها ثلثمائة و ستّون عروةً و وكّل
بالشمس و عجلتها ثلثمائة و ستّين مَلَكًا من الملائكة من أهل السماء الدنيا قد
تعلّق كلّ ملك منهم بعروة من تلك العُرَى و وكّل بالقمر و عجلته ثلثمائة
و ستّين ملكا من الملائكة من أهل السماء قد تعلّق بكلّ عروة من تلك
العرى مَلَكٌ منهم ثمّ قال و خلقَ اللّهُ لهما مشارق و مغارب فى قطرَيِ

الأرض و كنفى السماء ثمانين و مائة عين فى المغرب طينة سوداء فذلك قوله
عزّ و جلّ [١٤] وَجَدَهَا تَغْرُبُ فِي عَيْنٍ حَمِئَةٍ إنّما هى حمئة سوداء من طين
و ثمانين و مائة عين فى المشرق مثل ذلك طينة سوداء تفور غَلْيًا كَغَلْى القِدْر إذا
ما آشتدّ غليُها. . . قال و خلق الله بحرا دون السماء مقدارَ ثلث فراسخ و هو
موج مكفوف قائم فى الهواء بأمر الله عزّ و جلّ لا يقطر منه قطرةٌ و البِحَار
كلّها ساكنة و ذلك البحر جارٍ فى سرعة السهم

II

OBSERVATIONS ON WARFARE

الخدعة فى الحرب و قد يكون الترهيب فى بعض الأوقات نافعًا فى الحرب من ذلك أنّ [1] أتابك وَصَلَ الشأم و [2] أنا معه فى سنة تسع و عشرين و خمس مائة و صار قاصدًا دمشق فلمّا نزلنا [3] القُطيّفة قال لِى [4] صلاح الدين رَحِمَهُ اللّٰهُ اركبْ و تقدّمْنا إلى الفُستُقَة أقمْ على الطريق لا يهرب أحد من العسكر إلى دمشق فتقدّمتُ و وقفتُ ساعةً و إذا صلاح الدين قد أتى فى قلّةٍ من أصحابه فرأينا فى عذراء دخانًا فأرسل خيلًا تُبصِر ما هو الدخان فإذا هم قوم من عسكر دمشق يحرقون التبن الذى فى عذراء فآنهزموا فتبعهم صلاح الدين و نحن معه لعلّ فى [5] ثلٰثين أربعين فارسًا فوصلْنا القُصير و إذا عسكر دمشق جميعه فى القُصير قَاطِعُ الجسر و نحن عند الخان فوقفْنا مستترين بالخان و يخرج منّا خمسة ستّة فوارس حتّى يبصرَهم عسكر دمشق و يعودون إلى خلفَ الخان نوهّمهم أنّ لنا كمينًا و نفّذ صلاح الدين فارسًا إلى أتابك يعرّفه بما نحن فيه فرأينا نحوًا من عشرة فوارس مُقبلين إلينا مُسرعين و العسكر خلفهم متتابعٌ فوصلونا و إذا هو أتابك قد تقدّم و العسكر فى أثره فأنكر على صلاح الدين فعلَه و قال تسرّعتَ إلى باب دمشق بثلٰثين فارسًا لتُكسرَ يا موسى و لامه و هم يتكلّمون بالتركىّ و لا أدرى ما يقولون فلمّا وصلَنا أوائل العسكر قلتُ لصلاح الدين [6] عن أمرِك آخذُ هؤلاء الذين قد وصلوا و أعبر إلى خيل دمشق الواقفة مقابلنا أقلعهم قال لا [7] كذا و كذا ممّن

ينصح فى خدمة هذا ما تسمع أىّ شىء قد عمل بى و لو لا لُطْف اللّٰه تعالى
ثمّ ذلك الترهيب و التخييل كانوا قلعونا و جرى لى مثلُ ذلك و قد سِرْتُ
مع عمّى رَحِمَهُ اللّٰهُ من [٨] شيزر يُريد كفرطاب و مَعَنَا خلقٌ من الفلّاحين
و الصعاليك لنَنْهب ما على كفرطاب من غلَّة و قطن فٱنتشر الناس فى النهب
و خيلُ كفرطاب قد ركبتْ و وقفتْ عند البلد و نحن بينهم و بين الناس
المنتشرين فى الزرع و القطن و إذا فارس من أصحابنا يركض من الطلائع
قال جاءت خيلُ أفامية فقال عمّى تقفْ أنتَ مقابل خيل كفرطاب و أسيرُ
أنا بالعسكر أَلقَى خيلَ أفامية فوقفتُ فى عشرة فوارس فى شجر الزيتون
متوارين و يخرج منّا ثلٰثة أربعة يخيّلون للفرنج و يعودون إلى شجر الزيتون
و الإفرنج يعتقدون أنّنا فى جماعةٍ فهم يجتمعون و يصيحون و يدفعون خيلهم
إلى أن يقربوا منّا و نحن لا نتزعزع فيرجعوا فما زلْنا كذلك حتّى عاد
عمّى و ٱنهزم الإفرنج الذين جاءوا من أفامية فقال له بعضُ غلمانِه يا
مولاى ترى ما فعلَ يعنينى تخلّفَ عنك و ما سار معك للقاء خيل أفامية
فقال له عمّى لولا وقوفه فى عشرة فوارس مقابلَ خيل كفرطاب و راجلها
كانوا أخذوا هذا العالَم كلَّه فكان الترهيب و التخييل للإفرنج فى ذلك
الوقت أنفعُ مِن قتالهم لأنّنا كنّا فى قلّة و هم فى جمع كثير و جرى لى
مثلُ ذلك بدمشق كنت يوماً مع الأمير مُعين الدين رَحِمَهُ اللّٰهُ فأتاه فارسٌ
فقال قد أخذ الحراميَّة قافلةً فى العقبة حاملةَ خامٍ فقال لى نركب إليهم
قلتُ الأمرُ لك آمِر الشاوشيَّةَ تستركب العسكر معك قال أىّ شىء حاجتُنا
إلى العسكر قلت و ما يضرُّنا من ركوبهم قال ما نحتاجهم و كان رَحِمَهُ اللّٰهُ

مِن أشجع الفُرسان و لكنّ قوّةَ النفس فى بعض المواضع تفريط و مضرّة فركْبنا فى نحو من عشرين فارسًا فلمّا أضحينا نفّذ فارسَيْن كذا و فارسَيْن كذا و فارسَيْن كذا و فارسًا كذا يكشفون الطرقات و سِرْنا نحن فى قلّة فحانتْ صلاةُ العصر فقال لغلامٍ لى يا سُونجُ أشرف مغربًا إلى ما نصلّى فما سلّمْنا إلّا و الغلام يركض قال هذه الرجّالة و على رؤوسهم شقاق الخام فى الوادى فقال معين الدين رَحِمَهُ اللّٰهُ آركبوا قلت أَمْهِلْ علينا نلبس كزاغنداتنا فإذا رميناهم برؤوس الخيل و طعناهم فما يدرون كثيرٌ نحن أو قليلٌ قال إذا وصلنا إليهم لبسْنا و ركبَ و سرْنا إليهم فلحقناهم فى [٩]وادى حلبون و هو واد ضيّق لعلّ ما بين الجبلَيْن خمسة أذرع و الجبال من جانبه وعرةٌ رفيعةٌ و طريقه ضيّقة إنّما يمشى فيها فارسٌ خلف فارسٍ و هم فى سبعين رجلا بالقُسىّ و النشّاب فلمّا وصلْنا كان غلمانُنا خَلْفَنا بسلاحنا لا يَصِلُون إلينا و أُولٰئك قومٌ منهم فى الوادى و منهم قومٌ فى سفح الجبل فظننتُ أنّ الذين فى الوادى من أصحابنا فلّاحِى الضياع قد فزعوا خلفهم و الذين فى سفح الجبل هم الحراميّة فجذبتُ سيفى و حملتُ على الذين فى السفح فما طلع الحصان فى ذلك الوعر إلّا بآخِرِ روحه فلمّا صرتُ إليهم و حصانى قد وقف [١٠]ما بقى يندفع آستوفى واحدٌ منهم نشّابتَهُ فى فُوقه ليضربَنى فصحْتُ عليه و تهدّدته فمسك يدَه عنّى و عُدْتُ أنزلت الحصان و ما أصدّق أخلُص منهم و طلعَ الأميرُ معين الدين إلى أعلى الجبل يظنّ أنّ هناك مِن الفلّاحين مَن يستنفرهم و صاح إلىّ مِن أعلى الجبل لا تفارقْهم حتّى أعودُ و توارى عنّا فرجعتُ إلى الذين فى الوادى و قد علمتُ أنّهم مِن الحراميّة فحملتُ عليهم

وَحْدِى لِضِيق المكان فٱنهزموا و رَمَوْا ما كان معهم من الخام و خلّصتُ منهم بهيمتَيْن كانتا معهم عليهما خامٌ أيضًا و طلعوا إلى مغارةٍ فى سفح الجبل و نحن نراهم و ما لنا إليهم سبيلٌ و عاد الأمير معين الدين رَحِمَهُ اللّٰهُ آخِرَ النهار و ما وجدَ مَن يستنفره و لو كان معنا العسكرُ كنّا ضربْنا رقابهم و ٱستخلصنا كلَّ ما معهم

12

INDIA

فى ذِكْر أحوال الهند و تقريرها أمامَ ما نقصده من الحكاية عنهم يَجِبُ
أن نتصوّر أمامَ مقصودِنَا الأحوالَ التى لها يتعذّر ٱستشفافُ أمور الهند فإمّا
أن يسهَّل بمعرفتها الأمرُ وإمّا أن يتمهّد له العذرُ و هو أنّ القطيعة تخفِى ما
تبْديه الوصلةُ و لها فيما بيْننا أسبابٌ منها أنّ القومَ يباينوننا بجميع ما
يشترك فيه الأمم و أوّلها اللغة و إن تباينتِ الأمم بمثلها و [1]متى رامها أحدٌ
لإزالة المباينة لم يسهل ذلك لأنّها فى ذاتها طويلة عريضة تشابهُ العربيّة
يتسمّى الشىء الواحد فيها بعدّة أسامٍ مقتضبة و مشتقّة و بوقوع الٱسم
الواحد على عِدّةِ مسمّيات [2]مَحُوجَة فى المقاصد إلى زيادةِ صِفَات إذ لا يَفْرِقُ
بينها إلّا ذو الفطنة لموضع الكلام و قياسِ المعنى إلى الوراء و الأمام
و يفتخرون بذلك ٱفتخارَ غيرهم به مِن حيث هو بالحقيقة عيبٌ فى اللغة ثمّ هى
منقسمة إلى مبتذل لا يَنْتفع به إلّا السوقةُ و إلى مَصُون فصيح يتعلّق
بالتصاريف و الاشتقاق ودقائق النحو والبلاغة لا يرجع إليه غيرُ الفضلاء
المَهَرَة ثمّ هى مركّبة من حروف لا يطابق بعضُها حروفَ العربيّة
و الفارسيّة و لا تشابهها بل لا تكاد ألسنتُنا و لهواتُنا تنقاد لإخراجها على
حقيقة مخارجها و لا آذانُنا تسمع بتمييزها من نظائرِها و أشباهِها

فى ذِكْر ٱعتقادِهم فى اللّه سبحانه إنّما ٱختلف ٱعتقادُ الخاصّ و العامّ فى

كلّ أمّة بسبب أنّ طباعَ الخاصّة ينازع المعقولَ و يقصدُ التحقيق فى الأصول
و طباعُ العامّة يَقِف عند المحسوس و يقتنع بالفروع و لا يروم التدقيق وخاصّةً
فيما ٱفتنّتْ فيه الآراءُ و لم يتّفق عليه الأهواءُ و ٱعتقاد الهند فى اللّٰه سبحانه
انّه الواحدُ الأزلىّ من غير ٱبتداء و لا ٱنتهاء المختارُ فى فعله القادرُ الحكيمُ
الحىّ المُحيى المدبِّر المُبقى الفرد فى ملكوته عن الأضداد و الأنداد لا يشبه
شيئا و لا يشبهه شىء

فى مبدأ عبادة الأصنام و كيفيّة المنصوبات مَعْلُومٌ أنّ الطباعَ العامّىّ
نازعٌ إلى المحسوس نافرٌ عن المعقول الذى لا يعقله إلّا العالمون الموصوفون
فى كلّ زمان و مكان بالقلّة و لسكونه إلى المثال عَدَلَ كثيرٌ من أهل المِلَل
إلى التصوير فى الكتب و الهياكل كاليهود و النصارى ثمّ المنانيّة خاصّةً
و نَاهِيكَ شاهدا على ما قلتُه أنّك لو أبديتَ صورةَ النبىّ صلّى اللّٰه عليه أو مكّة
و الكعبة لعامّىٍّ أو ٱمرأةٍ لَوَجَدْتَ مِن نتيجة الاستبشار فيه دواعى التقبيل
و تعفير الخدّين و التمرّغ كأنّه شاهد المصوَّر و قَضَى بذلك مناسك الحجّ
و العمرة و هذا هو السبب الباعث على إيجاد الأصنام بأسامى الأشخاص المعظّمة
من الأنبياء و العلماء و الملائكة مذكِّرةً أمرَهم عند الغيبة و الموت مُبقيةً
آثارَ تعظيمهم فى القلوب لَدَى الفوت إلى أن طال العهدُ بعامليها و دارت
القرون و الأحقاب عليها و نُسِيت أسبابُها و دواعيُها و صارت رسمًا و سُنّةً
مستعملةً [٣] ثمّ داخلهم أصحابُ النواميس من بابِها إذ كان ذلك أشدَّ ٱنطباعًا
فيهم فأوجبوه عليهم و هٰكذا وردتِ الأخبارُ فيمن تقدّمَ عهدَ الطوفان و فيمن

تأخّر عنه و حتّى قيل أنّ كَوْنَ الناس قبل بعثة الرُسُل أمّةً واحدةً هو على
عبادة الأوثان

فى العقوبات و الكفّارات مثالُ الحالِ فيهم على شبيه بحال النصرانيّة فإنّها
مبنيّة على الخير و كَفِّ الشرّ مِن تركِ القتل أصلًا و رَمْى القُمْصان خلفَ
غاصب الطيلسان و تمكين لاطمَ الخدّ مِن الخدّ الأخرى و الدعاء للعدوّ بالخير
و الصلوات عليه و هى لَعَمْرِى سيرةٌ فاضلةٌ ولكنّ أهلَ الدنيا ليسوا بفلاسفة
كلّهم و إنّما أكثرهم جهّال ضلّال لا يقوّمهم غيرُ السيف و السوط و مُذْ
تنصّر قُسْطَنْطِينُوس المظفّر لم يَسْتَرِحْ كلاهما من الحركة فبغيرهما لا تتمّ
السياسةُ كذلك الهندُ فقد ذكروا أنّ أمورَ الإيالة و الحروب كانت فيما مضى
إلى البَرَاهِمَة و فى ذلك كان فسادُ العالَم من جهة أنّهم أجْرَوا السياسة على
مقتضى كُتُب المِلّة من السيرة العقليّة و لم يطّردْ ذلك لهم مع ذوى العيث
و الزعارة و كاد الأمرُ يُعجزهم من القيام بما إليهم مِن أمرِ الديانة

13

THE CALIPH AL-WALĪD

فى سنة ٨٨ كَتَبَ [١]الوليد إلى [٢]عُمر بن عبد العزيز يأمُرُه بهَدْم مسجد رسول الله صلّى الله عليه و سلّم و إدخال حُجَر رسول الله صلّى الله عليه و سلّم فيه و كَتَبَ إلى جميع البلاد بهدْم المساجد و الزيادة فيها و تسهيل الطُرُق و حفْر الأنهار و حَبْس المُجَذَّمين و أن يُجْرَى لهم و للعُمْيان و الزَّمْنَى الأرزاقُ و أن تُعْمَلَ البيمارِسْتانات التى تُعالَج فيها المَرْضَى و هو أوّل مَن فعل ذلك فلمّا شرع عُمر بن عبد العزيز رَضِىَ اللّٰهُ عنه فى ذلك صاح خُبَيْب بن عبد الله بن الزُّبَير فى مسجد رسول الله صلّى الله عليه و سلّم و حُجَر أزواجه أَيهدمُ اليومَ مُخْبِثٌ آيةً من كتاب الله تعالى [٣]إِنَّ ٱلَّذِينَ يُنَادُونَكَ مِنْ وَرَاءِ ٱلْحُجُرَاتِ أَكْثَرُهُمْ لَا يَعْقِلُونَ فكَتَبَ بذلك [٤]صاحبُ البريد إلى الوليد بن عبد الملك فكتب الوليد إلى عُمر بن عبد العزيز يأمُره بجَلْد خُبَيْب بن عبد الله مائة سَوْطٍ و أن يُصَبَّ على رأسه قِرْبَةٌ من ماءٍ باردٍ فى يومٍ باردٍ فضربَه و صبَّ عليه الماءَ فماتَ فكان عُمر أبدًا يقول هَبْنِى ضربتُه فَلِمَ صببتُ عليه المآءَ البارِدَ و أقامَ عُمر بن عند العزيز واليًا بالمدينة و مكّة سبعَ سنين و خمسة أشهر و هدم عُمر مسجدَ المدينة و مكّة و الطائف و أعاد الأبنية و أقام فى ذلك ثلاث سنين قال [٥]الواقدىّ و كَتَبَ الوليدُ بن عبد الملك إلى عُمر بن عبد العزيز أن يهدمَ حُجر أزواج رسول الله صلّى الله عليه و سلّم و أن يشترى ما فى نواحى المسجد يكون [٦]مائتَىْ ذراع فى مائتى ذراع

فدعا عُمر أرباب المنازل التى حول المسجد و ٱشتراها منهم بقيمة عدل و لمّا
عزم على هدم المسجد أخذ معه وجوهَ الناس يُرونه أعلام المسجد
و يُقدّرونه فبَنَى عُمر مسجدَ رسول الله صلّى الله عليه و سلّم و بَنَى الوليد
الأميالَ فى الطرق و قيل انّ الوليدَ كتب إلى (٧)ملك الروم يُعْلِمه أنّه قد
أمرَ بهدمِ مسجد رسول الله صلّى الله عليه و سلّم و أن يَبْنَى مسجدُ دمشق
و أن يُعينَه فيه فبعثَ إليه بمائة ألف دينار و مائة ألف صانعٍ و أربعين حِمْلًا
من الفَسْفَسَاء فحُمِل أكثرُ ذلك إلى مكّة و المدينة و (٨)فيها بدأ الوليدُ بن
عبد الملك بعمارة مسجد دمشق و زاد فيه كنيسة النصارى و قيل انّ سببَ
زيادة الكنيسة فى المسجد أنّ الوليد سمع صوتًا فى بعض الأوقات فقال ما هذا
فقيل بِيعةُ النّصارى فأمرَ بهدمِها و زادَها فى المسجد فكتب إليه مَلكُ الروم
انّ هذه البيعة أقرّها مَن كان قَبْلك فإن يكونوا أصابوا فقد أخطأْتَ و إن
يكونوا أخطؤوا فقد أصبتَ فقال الوليد لأصحابه مَن يُجيبه فكلّهم أَحْجَمَ فأمر
الوليد أن يُكْتَبَ إليه (٩)فَفَهَّمْنَاهَا سُلَيْمَانَ و كُلًّا آتَيْنَا حُكْمًا وَ عِلْمًا و قيل
انّ الوليد أنفق على مسجد دمشق ما لا يُحْصَى عَدَدًا حتّى رُوِى أنّ عُمر بن
عبد العزيز لمّا آل الأمرُ إليه أمرَ أن يُنزَع جميعُ ما فى مسجد دمشق من
رُخَامِه و نُحاسِه و زُخْرُفِه و بإدخال ذلك فى بيت مال المسلمين و قال إنّ هذا
سَرَفٌ فٱجتمع الناسُ إليه و قالوا يا أميرَ المؤمنين أَعنّا الوليدَ برُبْع أعْطياتنا
تسع سنين و نحن خمسة و أربعون ألفًا و ٱستعطى إخْوانَنَا من أهل الشامِ
و حملْنا ما فيه من رخام و نحاس على دوابّنا من أرض الروم و قد أنفقَ فيه
الوليدُ نفقات لا يُدْرَى ما هى فقال لهم عُمر إنّه يُلْهِى المُصَلّى و يشغله عن

صلوته فقيل انّه دخلَ إليه بعضُ البطاركة بعد أن أُذن له فى الدخول فلمّا
رآه غُشِيَ عليه و قال و اللّهِ ما عَمَرَ مثلَ هذا إلّا أُمّةٌ يَمْلِكون فقال عُمر إذا
كان يُغيظ الكُفّار فدَعُوه

* * *

God has Honoured Us

مِن قَوْلِ (١)حسّان بن ثابت

(٢)اللّهُ أَكْرَمَنا بِنَصْرِ نَبِيّه وَ بِنَا أَقامَ دَعائِمَ الإسْلَامِ
وَ بِنَا أَعزَّ نَبِيَّهُ وَ كِتَابَهُ وَ أَعَزَّنَا بِالضَّرْبِ وَ الإقْدَامِ
فى كُلِّ مُعْتَرَكٍ تَطِيرُ سُيُوفُنَا (٣)فيه الجَمَاجِمُ عَنْ فِراخِ الهَامِ
يَنْتَابُنَا جِبْرِيلُ فى أَبْيَاتِنَا بِفَرائِضِ الإسْلَامِ و الأَحْكَامِ

14

ḤUNAIN IBN ISḤAQ

قال عُبَيدُ اللّه بن جبرئيل بن بختيشوع [١] فى مناقب الأطبّاء انّ [٢] حُنينا لما قَوِى أمرُه وٱنتشر ذكرُه بين الأطبّاء و ٱتّصل خبرُه [٣] بالخليفة أَمَرَ بإحضارِه فلمّا حضر أقطع إقطاعات حسنةً و قُرّر له جارٍ جيّد و كان يُشعِره بزبورى الروم و كان الخليفةُ يسمع بعامه و لا يأخذ بقوله دواءً يَصِفه حتّى يشاور فيه غيرَه و أحبَّ ٱمتحانَه حتّى يزولَ ما فى نفسه عليه ظنًّا منه أنّ ملكَ الروم ربّما كان عمل شيأً من الحيلة به فٱستدعاه يومًا وأمر بأن يُخلَع عليه و أحضر توقيعًا فيه إقطاع يشتمل على خمسين ألف درهم فشكرَ حنينٌ هذا الفعلَ ثمّ قال بعد أشياء جَرَتْ أريد أن تصفَ لى دواءً يقتل عدوّا نريد قتلَه و لم يمكن إشهارُه و نريده سِرًّا فقال حنين يا أميرَ المؤمنين إنّى لم أتعلّم إلّا الأدوية النافعة و ما علمتُ أنّ أميرَ المؤمنين يطلب منّى غيرها فإن أَحَبَّ أن أمْضِىَ و أتعلّم فعلتُ ذلك فقال هذا شىء يطول و رغّبه و هدّده و هو لا يزيد على ما قاله إلى أن أَمَرَ بحبسِه فى بعض القلاع و وكّل به مَن يوصِّل خبرَه إليه وقتًا بوقتٍ و يومًا بيومٍ فمكث سنةً فى حبسه دَأْبُهُ النقلُ و التفسير و التصنيف و هو غير مكترث بما هو فيه فلمّا كان بعْد سنة أمَرَ الخليفةُ بإحضاره و إحضار أموال يرغّبه فيها و أحضر سيفًا و نطعًا و سائر آلات العقوبات فلمّا حضر قال هذا شىء قد كان و لا بدّ ممّا قلتُه لك فإن أنت فعلت فقد فزْتَ بهذا المال و كان لك عندى

اضعافُه و إن ٱمتنعتَ قابلتُك بشرِّ مقابلة و قتلتُك شرَّ قتلة فقال حنين قد
قلتُ لأمير المؤمنين انّى لم أُحسن إلّا الشىء النافع و لم أتعلّم غيرَه فقال
الخليفة فإنّى أقتلك قال حنين لى ربٌّ يأخذ بحقّى غدًا فى الموقف الأعظم فإن
ٱختار أميرُ المؤمنين أن يظلمَ نفسَه فَلْيَفْعل فتبسّم الخليفةُ و قال يا حنين
طِبْ نفسًا و ثِقْ إلينا فهذا الفعلُ كان منّا لٱمتحانك لأنّا حذِرْنا من
كيد الملوك و إعجابنا بك فأردنا الطمأنينة إليك و الثقة بك لننتفع بعلمك
فقبّلَ حنين الأرضَ وشكرَ له فقال له الخليفةُ يا حنين ما الذى مَنَعَك من
الإجابة مع ما رأيتَه من صِدْق عزيمتِنا فى الحالَيْن فقال حنين شيآن يا
أميرَ المؤمنين قال و ما هما قال الدِين و الصناعة قال فكيف قال الدين
يأمرُنا بفعلِ الخير و الجميل مع أعدائنا فكيف أصحابنا و أصدقائنا و يبعّد
و يحرم مَن لم يكن كذا و الصناعة تمنعُنَا من الإضرار بأبناء الجنس لأنّها
موضوعةٌ لنفعِهم و مقصورةٌ على مصالحهم و مع هذا فقد جعلَ اللّٰهُ فى رقاب
الأطبّاء عهدًا مؤكّدًا بأيمان مغلَّظة أن لا يعطوا دواءً قتّالاً و لا ما يُؤذى
فلم أَرَ أن أخالفَ هذَيْن الأمرَيْن من الشريعتَيْن و وطّنتُ نفسى على القتل
فإنّ اللّٰهَ ما كان يُضيع مَن بذلَ نفسَه فى طاعته و كان يُثيبنى فقال الخليفة
إنّهما لَشريعتان جليلتان و أَمَرَ بالخِلَع فخُلِعت عليه و حمل المال بين يديه
و خرج من عنده و هو أحسن الناس حالاً و جاهًا . . .

(٤)و هذه قصّة المحنة الأخيرة القريبة و هى أنّ (٥)بختيشوع بن جبرئيل
المتطبّب عملَ علىّ حيلةً تمّت له علىّ و أمكنتْه منّى إرادته فىّ و ذلك أنّه
ٱستعمل قونةً عليها صورةُ السيّدة مارتمريم و فى حِجْرها سيّدُنا المسيح

و الملائكةُ قد ٱحتاطوا بها و عملها فى غاية ما يكون من الحُسن و صحّة الصورة بعد أن غرمَ عليها من المال شيئاً كثيرًا ثمّ حملَها إلى أمير المؤمنين (٦) المتوكّل و كان هو المستقبل لها من يد الخادم الحامل لها و هو الذى وضعَها بين يدى المتوكّل فٱستحسنها المتوكّل جدّا و جعل بختيشوع يقبّلها بين يديه مرارًا كثيرةً فقال له المتوكّل لِمَ تقبّلها فقال له يا مولانا إذا لم أقبّلْ صورةَ سيّدة العَالَمين فلمنْ أقبّل فقال له المتوكّل و كلُّ النصارى هٰكذا يفعلون فقال نَعَمْ يا أميرَ المؤمنين و أفضل منّى لأنّى أنا قصرتُ حيث أنا بين يديك و مع تفضيلنا معشر النصارى فإنّى أعرفُ رجلًا فى خدمتك و إفضالك و أرزاقك جارية عليه من النصارى يتهاونُ بها و يبصقُ عليها و هو زنديق مُلْحِدٌ لا يقرّ بالوحدانيّة و لا يعرف آخِرةً و يستتر بالنصرانيّة و هو مُعطِّل مُكذِّب بالرسل فقال له المتوكّل مَن هذا الذى هذه صفتُه فقال له حنين المُتَرْجِم فقال المتوكّل أُوجّهُ أُحضِرُه فإن كان الأمرُ على ما وصفتَ نكلتُ به و خلّدته المَطْبَق مع ما أتقدّم به فى أمره من التضييق عليه و تجديد العذاب فقال أنا أحبُّ أن يؤخّر مولاى أميرُ المؤمنين إلى أن أخرجَ وأقيم ساعةً ثمّ تأمرُ بإحضاره فقال إنّى أفعلُ ذلك فخرجَ بختيشوع من الدار وجاءَنى فقال يا (٧) أبا زيد أَعَزَّكَ اللّٰه ينبغى أن تعلمَ أنّه قد أُهْدِىَ إلى أمير المؤمنين قونةٌ قد عظُم عجبُه بها و أحسبُها مِن صُوَر الشام و ٱستحسنَها جدًّا و إن نحن تركْناها عنده و مدحْناها بين يديه تولّع بنا بها فى كلّ وقت و قال هذا ربُّكم و أمّه مُصَوَّرَيْن و قد قال لى أمير المؤمنين ٱنظر إلى هذه الصورة ما أحْسَنَها و أَيْش تقول فيها فقلتُ له صورةٌ مثلُها يكون فى

الحمّامات و فى البِيَع و فى المواضع المصوَّرة و هذا ممّا لا نبالى به و لا نلتفتُ
إليه فقال و ليس هى عندك [٨]شىءٌ قلتُ لا قال فإن تكُن صادقًا فٱبصق عليها
فبصقتُ و خرجتُ من عنده و هو يضحك و يعطعط بى و إنّما فعلتُ
ذلك لِيَرْسِيَ بها و لا يكثّر الولع بنا بسببها و يعيّرنا دائمًا و لا سِيَّما إن
حَرِدَ أحد من ذلك فإنّ الولعَ يكون أزيد و الصواب إن دعا بك و سألك
عن مثل ما سألنى أن تفعلَ كما فعلتُ أنا فإنّى قد عملتُ على لقاء سائر مَن
يدخل إليه من أصحابنا و أتقدّم إليهم أن يفعلوا مثلَ ذلك فقبلتُ
ما وصّانى به و جازتْ علىّ سخريّته و ٱنصرف فما كان إلّا ساعةٌ حتّى جاءنى
رسولُ أمير المؤمنين فأخذنى إليه فلمّا دخلتُ عليه إذا القونة موضوعة بين
يديه فقال لى يا حُنين ترى [٩]ما أحسنَ هذه الصورة و أعْجَبَها فقلتُ و اللّهِ
إنّه لَكما ذكر أميرُ المؤمنين فقال فأيْش تقول فيها فقلتُ مثلُها مصوَّر فى
الحمّامات و فى الكنائس و فى سائر المواضع المصوّرة كثيرًا فقال أَوَلَيْسَ هى
صورةُ ربّكم و أمّه فقلتُ معاذَ اللّهِ يا أميرَ المؤمنين أنّ للّه تعالى صورةٌ أو
يُصَوَّر و لكنّ هذا مثال فى سائر المواضع التى فيها الصور فقال فهذه إذَنْ
لا تنتفع و لا تضرّ فقلتُ هو كذلك يا أميرَ المؤمنين فقال فإن كان الأمر
على ما ذكرتَ فٱبصق عليها فبصقتُ عليها فللوقت أمرَ بحَبْسِى

* * *

We were Kings of the People

من قول حسّان بن ثابت أيضا

[١]كُنَّا مُلُوكَ النَّاسِ قَبْلَ مُحَمَّدٍ   فَلَمَّا أَتَى الإِسْلَامُ كَانَ لَنَا الفَضْلُ

وَ أَكْرَمَنَا اللّٰهُ الذِى لَيْسَ غَيْرُهُ   إِلٰهٌ بِأَيَّامٍ مَضَتْ مَا لَهَا [٢]شَكْلُ

بِنَصْرِ اللّٰهِ وَ النَّبِيِّ وَ دِينِهِ   وَ أَكْرَمَنَا بِاسْمٍ مَضَى مَا لَهُ مِثْلُ

أُولٰئِكَ قَوْمِى خَيْرُ قَوْمٍ بِأَسْرِهِمْ   فَمَا عُدَّ مِنْ خَيْرٍ فَقَوْمِى لَهُ أَهْلُ

15

CONSOLATIO AMORIS

الأسباب المُوجِبة للسلوّ المنقسم هذين القسمين كثيرةٌ و على حسبها
و بمقدار الواقع منها يعذَر السالى أو يذمّ فمنها المَلَل و قد قدّمْنا الكلام عليه
و انّ من كان سلوّه عن مَلَل فليس حبُّه حقيقة و المتوسّم به صاحب دعوى
زائفة و إنّما هو طالب لذّة و مبادر شهوة و السالى عن هذا الوجه ناسٍ
مذموم و منها الاستبدال و هو وإن كان يُشبه الملل ففيه معنى زائد و هو
بذلك المعنى أقبحُ من الأوّل و صاحبُه أحقُّ بالذمّ و منها حياء مركّب يكون
فى المُحِبّ يحول بينه و بين التعريض بما يجد فيتطاول الأمرُ و تتراخى المدّة
و يبلَى جديدُ المودّة و يحدث السلوّ و هذا وجْه إن كان السالى عنه ناسيًا
فليس بمنْصِف إذ منه جاء سبب الحرمان و إن كان متصبّرًا فليس بملوم إذ
آثرَ الحياء على لذّة نفسه و قد وردَ عن رسولِ اللّٰه صلّى اللّٰه عليه و سلّم أنّه
قال الحياء من الإيمان و البذاء من النفاق و حدّثنا أحمد بن محمّد. . . عن
زيد بن طلحة بن ركانة [1] يرفعه إلى رسول اللّٰه صلّى اللّٰه عليه و سلّم أنّه قال
لكلّ دينٍ خُلقٌ و خُلقُ الإسلام الحياءُ فهذه الأسباب الثلاثة أصلُها من
المُحِبّ و ابتداؤها من قبله و الذمّ لاصق به فى نسيانه لمن يحبّ ثم منها
أسباب أربعة هى من قبل المحبوب و أصلُها عنده فمنها الهجر و قد مرَّ تفسيرُ
وجوهه و لا بدّ لنا أن نُوردَ منه شيئًا فى هذا الباب يوافقه و الهجر إذا
تطاول و كثُر العتابُ و اتّصلتِ المفارقة يكون بابًا إلى السلوّ و ليس مَن

وصلَك ثمّ قطعَك لغيرك مِن باب الهجر فى شىء لأنّه العذرُ الصحيح و لا مَن مالَ إلى غيرك دون أن يتقدّم لك معه صلةٌ من الهجر أيضا فى شىء إنّما ذلك النفار و سيقعُ الكلامُ فى هذَيْن الفصلَيْن بعد هذا إن شاء اللّٰه تعالى لكنّ الهجرَ ممّن وصلك ثمّ قطعك لتنقيل واشٍ أو لذَنْبٍ واقعٍ أو لشىء قامَ فى النفس و لم يَمِلْ إلى سِوَاك و لا أقام أحدًا غيرك مقامَك و الناسى فى هذا الفصل من المحبّين ملوم دون سائر الأسباب الواقعة من المحبوب لأنّه لا تقع حالة تُقيم العذرَ فى نسيانه و إنّما هو راغبٌ عن وصلك و هو شىء لا يلزمه و قد تقدّم من أذمّة الوصال و حقّ أيّامه ما يلزم التذكّر و يُوجِب عهْدَ الألفة و لكنّ السالى على جهة التصبّر و التجلّد هاهنا معذور إذا رَأَى الهجرَ متماديًا و لم يَرَ للوصال علامةً و لا للمراجعة دلالةً و قد ٱستجازَ كثيرٌ من الناس أن يسمّوا هذا المعنى عذرًا إذ ظاهرُهما واحدٌ و لكنّ علّتيهما مختلفتان فلذلك فَرَقْنا بينهما فى الحقيقة و فى ذلك أقول شعرًا منه

(٢)فَكُونُوا كَمَنْ لَا أَدْرِى قَطُّ فَإِنَّنِى   كَآخَر لَمْ تَدْرُوا وَ لَم تَصِلوهُ
أَنَا كَالصَّدَا مَا قَالَ كُلٌّ أُجِيبُهُ   فَمَا شِئْتُموهُ ٱليومَ فَٱعْتَمِدُوهُ

و أقول أيضًا قطعةً ثلاثة أبيات قلْتُها و أنا نائمٌ ثمّ ٱستيقظتُ و أضفتُ إليها البيتَ الرابعَ

(٣)أَلَا (٤)لِلّٰهِ دَهْرٌ كُنْتَ فِيهِ   أَعَزَّ عَلَىَّ مِنْ رُوحِي وَ أَهْلِي
فَمَا بَرِحَتْ يَدُ ٱلهِجْرَانِ حَتَّى   طَوَاكَ بَنَانُهَا طَىَّ السِّجِلِ

سَقَانِي الصَّبْرَ هَجْرُكُمُ كَمَا قَدْ سَقَانِي الحُبَّ وَصْلُكُمُ بِسَجْلِ
وَجَدْتُ الوَصْلَ أَصْلَ الوَجْدِ حَقًّا وَ طُولَ الهَجْرِ أَصْلًا لِلتَّسَلِّي

* * *

Dearer to Me...

(١) قالت (٢) مَيْسُونُ بنت بحدل الكلبيّة

لَبَيْتٌ تَخْفِقُ الأَرْوَاحُ فِيهِ أَحَبُّ إِلَيَّ مِنْ قَصْرٍ (٣) مُنِيفِ
وَ لُبْسُ عَبَاءَةٍ وَ تَقَرَّ عَيْنِي أَحَبُّ إِلَيَّ مِنْ لُبْسِ الشُّفُوفِ
وَ أَكْلُ كُسَيْرَةٍ فِي كِسْرِ بَيْتِي أَحَبُّ إِلَيَّ مِنْ أَكْلِ الرَّغِيفِ
وَ أَصْوَاتُ الرِّيَاحِ بِكُلِّ فَجٍّ أَحَبُّ إِلَيَّ مِنْ نَقْرِ الدُّفُوفِ
وَ كَلْبٌ يَنْبَحُ الطُّرَّاقَ دُونِي أَحَبُّ إِلَيَّ مِنْ قِطٍّ أَلُوفِ
وَ بَكْرٌ يَتْبَعُ الأَظْعَانَ صَعْبٌ أَحَبُّ إِلَيَّ مِنْ بَغْلٍ زَفُوفِ
وَ خِرْقٌ مِنْ بَنِي عَمِّي نَحِيفٌ أَحَبُّ إِلَيَّ مِنْ عِلْجٍ عَلِيفِ

16

A TRAVELLER'S TALES

SNOW AND ICE

ثم توكّلنا على الله عزّ و جلّ و فوّضنا أمرنا إليه و [1] رحلنا من الجُرجانية يوم الاثنين لليلتين خلتا من ذى القعدة سنة تسع و ثلثماية فنزلنا رباطا يقال له زَمْجان و هو باب الترك ثمّ رحلنا الغد فنزلنا منزلا يقال له جيت و جاءنا الثلج حتّى مشت الجمال إلى رُكَبها فيه فأقمنا بهذا المنزل يومين ثمّ أوغلنا فى بلد الترك لا نلوى على شىء و لا يلقانا أحد فى برّيّة قفر بغير جبل فسرنا فيها عشرة أيام و قد لَقِينا من الضرّ و الجهد و البرد الشديد و تواصل الثلوج الذى كان برد خوارزم عنده مثل أيّام الصيف و نسينا كلّ ما مرّ بنا و أشرفنا على تلف الأنفس و لقد أصابنا فى بعض الأيّام برد شديد و كان تكين يسايرنى و إلى جانبه رجل من الأتراك يكلّمه بالتركيّة فضحك تكين و قال إنّ هذا التركىّ يقول لك أىّ شىء يريد ربّنا منّا هو ذا يَقتُلُنا بالبرد و لو علمْنا ما يريد لرفعناه إليه فقلت له قُلْ له يريد منكم أن تقولوا لا إلٰهَ إلّا الله

THE TOTEM

و ساعة توافى سفنهم إلى [2] هذا المرسى قد خرج كلّ واحد منهم و معه خبز و لحم و بصل ولبن و نبيذ حتّى يوافى خشبة طويلة منصوبة لها وجه يشبه وجه الإنسان و حولها صور صغار و خلف تلك الصور خشب طوال قد

نصبت فى الأرض فيوافى إلى الصورة الكبيرة و يسجد لها ثمّ يقول يا ربّ قد جئتُ من بلد بعيد و معى من الجوارىَ كذا و كذا رأسا و من السمّور كذا و كذا جلدا — حتّى يذكر جميع ما قدم معه من تجارته — و جئتُك بالهديّة — ثمّ يترك الذى معه بين يدى الخشبة — فأريد أن ترزقنى تاجرا معه دنانير و دراهم كثيرة فيشترى منّى كما أريد و لا يخالفنى فى ما أقول

SUNRISE

قال و رأيتُ البلد عند طلوع الشمس يحمرّ كلّ شىء فيه من الأرض و الجبال و كلّ شىء ينظر الإنسان إليه و تطلع الشمس كأنّها غمامة كبيرة فلا تزال الحمرة كذلك حتّى تتكبّد السماء و عرّفنى أهل البلد أنّه إذا كان الشتاء عاد الليل فى طول النهار و عاد النهار فى قصر الليل

THE RHINOCEROS

بالقرب (٣)منه صحراء واسعة يذكرون أنّ بها حيوانا دون الجمل فى الكبر و فوق الثور رأسه رأس جمل و ذنبه ذنب ثور و بدنه بدن بغل و حوافره مثل أظلاف الثور له فى وسط رأسه قرن واحد غليظ مستدير كلّما ٱرتفع دقّ حتّى يصير مثل سنان الرمح فمنه ما يكون طوله خمسة أذرع إلى ثلٰثة أذرع إلى أكثر و أقلّ يرتعى ورق الشجر جيّد الخضر إذا رأى الفارس قصدَه فإن كان تحته جوادٌ أمن منه بجهد و إن لحقه أخذه من ظهر دابّته بقرنه ثمّ زجّ به فى الهواء و ٱستقبله بقرنه فلا يزال كذلك حتّى يقتله و لا

يعرض للدابّة بوجه و لا سبب و هم يطلبونه فى الصحراء و الغياض حتّى يقتلونه و ذلك أنّهم يصعدون الشجرة العالية التى تكون بيته و يجتمع لذلك عدّة من الرماة بالسهام المسمومة فإذا توسّطهم رموه حتّى يثخنونه و يقتلونه

THE KING'S BURIAL

و رسم الملك الأكبر إذا مات أن يبنى له دار كبيرة فيها عشرون بيتا و يحفر له فى كلّ بيت منها قبر و تكسر الحجارة حتّى تصير مثل الكحل و تفرش فيه و تطرح النُورَة فوق ذلك و تحت الدار نهر و النهر نهر كبير يجرى و يجعلون النهر فوق ذلك القبر و يقولون حتّى لا يصل إليه شيطان و لا إنسان و لا دود و لا هوامّ و إذا دُفن ضُربت أعناق الذين يدفنونه حتّى لا يدرى أين قبرُه من تلك البيوت و يسمّى قبره الجنّة و يقولون قد دخل الجنّة و تفرش البيوت كلّها بالديباج المنسوج بالذهب

* * *

We Forgave

قال(١) الفِنْدُ (٢)الزِمّانّى

صَفَحْنَا عَنْ (٣)بَنِى هِنْدٍ	وَ قُلْنَا القَوْمُ إِخْوَانُ
عَسَى الأَيَّامُ أَنْ يَرْجِعْنَ	قَوْمًا كَالَّذِى (٤)كَانُو
فَلَمَّا صَرَّحَ الشَّرُّ	فَأَمْسَى وَهْوَ عُرْيَانُ
وَ لَمْ يَبْقَ سِوَى العُدْوَانِ	دِنَّاهُمْ كَمَا دَانُو
مَشَيْنَا مِشْيَةَ اللَّيْثِ	غَدَا وَ اللَّيْثُ غَضْبَانُ

17

THE MONGOL INVASION

ذِكْر خروج التّتر إلى بلاد الإسلام

لقد [1]بقيتُ عِدّة سنين مُعرضًا عن ذِكر هذه الحادثة ٱستعظامًا لها كارهًا لِذِكْرها فإنّا أقدّمُ إليه رِجلا و أوخّرُ أخرى فمَن الذى يسهل عليه أن يكتبَ نعى الإسلام و المسلمين و مَن الذى يهون عليه ذكرُ ذلك فيا ليْتَ أُمّى لم تَلِدْنى و يا ليتنى مُتُّ قبلَ هذا و كنتُ نَسيًّا مَنْسِيًّا إلّا انّى حَثَّنى جماعةٌ من الأصدقاء على تسطيرها و أنا متوقّف ثمّ رأيتُ أنّ تَرْكَ ذلك لا يُجدى نفعًا فنقول هذا الفعلُ يتضمّنُ ذِكْرَ الحادثة العظمى و المصيبة الكبرى التى عقّتِ الأيّام و الليالى عن مثلِها عمّت الخلائق و خصّت المسلمين فلَوْ قال قائلٌ انّ العالَم مُذْ خلَقَ اللّه سبحانه و تعالى آدمَ إلى الآن لم يُبْتَلَوْا بمثلها لَكان صادقًا فإنّ التواريخ لم تتضمّن ما يقاربها و لا ما يُدانيها و مِن أعظم ما يذكرون من الحوادث ما فَعَلَه بختنصر ببنى إسرائيل من القتل و تخريب البيت المقدّس و ما البيتُ المقدّس بالنسبة إلى ما خرّب هؤلاء الملاعين من البلاد التى كلُّ مدينة منها اضعاف البيت المقدّس و ما بنو إسرائيل بالنسبة إلى مَن قتلوا فإنّ أهلَ مدينة واحدة ممّن قتلوا أكثرُ من بنى إسرائيل و لعلّ الخَلْق لا يرون مثلَ هذه الحادثة إلى أن ينقرض العالَم و تفنى الدنيا إلّا [2]ياجوج و ماجوج و أمّا [3]الدجّال فإنّه يُبقى على مَن ٱتّبعه و يهلك من خالفه و هؤلاء لم يُبقوا على أحد بل قتلوا النساء و الرجال و الأطفال و شقّوا بطون الحوامل و قتلوا

الأجنّة فإنّا لِلّه و إنّا إليه راجعون و لا حولَ و لا قوّة إلّا باللّه العلىّ العظيم
لهذه الحادثة التى ٱستطار شرورُها و عمَّ ضررُها و سارت فى البلاد كالسحاب
ٱستدبرتْه الريحُ فإنّ قومًا خرجوا من أطراف الصين فقصدوا بلاد تركستان
مثل كاشغر و بلاساغون ثمّ منها إلى بلاد (٤)ما وراء النهر مثل سمرقند و بخارا
و غيرهما فيملكونها و يفعلون بأهلها ما نذكره ثمّ تعبر طائفة منهم إلى
خراسان فيفرغون منها مُلكًا و تخريبًا و قتلًا و نهبًا ثمّ يتجاوزونها إلى الرىّ
و همذان و بلد الجبل و ما فيه من البلاد إلى حدّ العراق ثمّ يقصدون بلاد
أذربيجان و أرّانيّة و يخرّبونها و يقتلون أكثرَ أهلِها و لم يَنْجُ إلّا الشريدُ
النادرُ فى أقلّ من سنةٍ هذا ما لم يُسمع بمثلِهِ ثمّ لمّا فرغوا من أذربيجان
و أرّانيّة ساروا إلى دربندشروان فملكوا مُدُنَه و لم يَسْلَمْ غير القلعةِ التى بها
مَلِكُهم و عبروا عنها إلى بلد اللان و اللكز و مَن فى ذلك الصُقْع من الأمم
المختلفة فأوسعوهم قتلًا و نهبًا و تخريبًا ثمّ قصدوا بلاد قفجاق و هم من أكثر
الترك عددًا فقتلوا كلّ مَن وقفَ لهم فهربَ الباقون إلى الغياض و رؤوس
الجبال و فارقوا بلادهم و ٱستولى هؤلاء التتر عليها فعلوا هذا فى أسرع زمانٍ
لم يلبثوا إلّا بمقدار مسيرهم لا غيرَ و مضى طائفةٌ أُخرى غير هذه الطائفة إلى
غزنة و أعمالها و ما يجاورُها من بلاد الهند و سجستان و كرمان ففعلوا
فيها مثل فعل هؤلاء و أشدّ هذا ما لم يطرق الأسماعَ مثلُه فإنّ الإسكندر
الذى ٱتّفق المؤرّخون على أنّه مَلَكَ الدنيا لم يملكها فى هذه السرعة إنّما
مَلَكَها فى نحو عشر سنين و لم يقتل أحدًا إنّما رَضِى من الناس بالطاعة و هؤلاء
قد ملكوا أكثرَ المعمور من الأرض و أحسنه و أكثره عمارةً و أهلًا

و أعدل أهل الأرض أخلاقًا و سيرةً فى نحوسنةٍ و لم يَبِتْ أحد من البلاد التى لم يطرقوها إلّا و هو خائف يتوقّعهم و يترقّب وصولَهم إليه ثمّ أنّهم لا يحتاجون إلى ميرة و مَدَد يأتيهم فإنّهم معهم الأغنام و البقر و الخيل و غير ذلك من الدوابّ يأكلون لحومَها لا غيرَ و أمّا دوابّهم التى تركبونها فإنّها تحفر الأرض بحوافرها و تأكل عروقَ النبات لا تعرف الشعير فَهُمْ إذا نزلوا منزلاً لا يحتاجون إلى شىء من خارج و أمّا ديانتهم فإنّهم يسجدون للشمس عند طلوعها و لا يحرّمون شيئًا فإنّهم يأكلون جميع الدوابّ حتّى الكلاب و الخنازير و غيرها و لا يعرفون نكاحًا بل المرأة يأتيها غيرُ واحد من الرجال فإذا جاء الولدُ لا يعرف أباه و لقد بُلِى الإسلام و المسلمون فى هذه المدّة بمصائب لم يُبتل بها [٥]مِن الأمم منها هؤلاء التتر قبّحهم اللّهُ أقبلوا من المشرق ففعلوا الأفعال التى يستعظمها كلّ من سمع بها و سَتَرَاها مشروحةً متّصلةً إن شاء اللّه تعالى و منها [٦]خروج الفرنج لَعَنَهم اللّه من المغرب إلى الشام و قصدُهم ديار مصر و مَلْكُهم ثغر دمياط منها و أَشرفتْ ديارُ مصر و الشام وغيرها على أن يملكوها لو لا لُطْف اللّه تعالى و نَصْره عليهم و قد ذكرناه [٧]سنة أربع عشرة و ستّمائة و منها أنّ الذى سَلِم من هاتَيْن الطائفتَيْن فالسيف بينهم مسلولٌ و الفتنة قائمةٌ على ساق و قد ذكرناه أيضا فإنّا للّه و إنّا إليه راجعون نسأل اللّهَ أن ييسّرَ للإسلام و المسلمين نصرًا من عنده فإنّ الناصرَ و المُعِين و الذابّ عن الإسلام معدوم و إذا أراد اللّهُ بقوم سوءًا فلا مردَّ له و ما لهم من دونه من والٍ فإنّ هؤلاء التتر إنّما ٱستقام لهم هذا الأمرُ لعدم المانع و سببُ عدمِه أنّ [٨]خوارزمشاه محمّدًا كان قد ٱستولى

على البلاد و قتل ملوكهم و أفناهم و بقى هذا وحده سلطان البلاد جميعا فلمّا ٱنهزمَ منهم لم يبْق فى البلاد من يمنعهم و لا من يحميها ليقضىَ اللّهُ أمرًا [٩] كان مفعولا

*   *   *

A Lament

من [١] قول [٢] تَأَبَّطَ شَرًّا

بَزَّنِى ٱلدَّهْرُ وَكَانَ غَشُومًا	بِأَبِيٍّ جَارُهُ مَا يُذَلُّ
شَامِسٌ فى القُرِّ حَتَّى إِذَا مَا	ذَكَتِ ٱلشِّعْرَى فَبَرْدٌ وَ ظِلُّ
[٣] يَابِسُ الْجَنْبَيْنِ مِنْ غَيْرِ بُؤْسٍ	وَ نَدِى ٱلْكَفَّيْنِ شَهْمٌ مُدِلُّ
ظَاعِنٌ بِٱلْحَزْمِ حَتَّى إِذَا مَا	حَلَّ حَلَّ ٱلْحَزْمُ حَيْثُ يَحُلُّ
غَيْثُ مُزْنٍ غَامِرٌ حَيْثُ يُجْدِى	وَ إِذَا يَسْطُو فَلَيْثٌ أَبَلُّ

18

A DIVINE COMEDY

THE GARDEN OF THE IFRITS

يبدو [1]له أن يطّلعَ إلى أهل [2]النار فينظر إلى ما هم فيه ليعظمَ شكرُه على النعيم بدليل قوله تعالى [3]قَالَ قَائِلٌ مِنْهُمْ إِنِّي كَانَ لِي قَرِينٌ يَقُولُ أَئِنَّكَ لَمِنَ ٱلْمُصَدِّقِينَ أَئِذَا مِتْنَا وَ كُنَّا تُرَابًا وَ عِظَامًا أَئِنَّا لَمَدِينُونَ قَالَ هَلْ أَنْتُمْ مُطَّلِعُونَ فَٱطَّلَعَ فَرَآهُ فِي سَوَاءِ ٱلْجَحِيمِ قَالَ تَٱللَّهِ إِنْ كِدْتَ لَتُرْدِينِ وَ لَوْلَا نِعْمَةُ رَبِّي لَكُنْتُ مِنَ ٱلْمُحْضَرِينَ فيركب بعض دوابّ الجنّة و يسيرُ فإذا هو بمدائن ليست كمدائن الجنّة و لا عليها النور الشعشعانيّ و هي ذات أوحال و غماليل فيقول لبعض الملائكة ما هذه يا عبدَ الله فيقول هذه جنّة العفاريت الذين آمنوا بمحمّد صلّى الله عليه و سلّم و ذُكِروا في الأحقاف و في سورة الجن و هم عددٌ كثيرٌ فيقول لأعدلنّ إلى هؤلاء فلن أخلوَ لديهم من أعجوبة فيعرج عليهم فإذا هو بشيخ جالس على باب مغارة فيسلّم عليه فيُحسِن الردّ و يقول ما جاء بك يا إنسيّ فيقول سمعتُ أنّكم جِنٌّ مؤمنون فجئتُ ألتمسُ عندكم أخبار الجنّان و ما لعلّه يُوجَد لديكم من أشعار المَرَدَة فيقول ذلك الشيخ لقد أصبتَ العالِم ببجدة الأمر فسَلْ عمّا بدا لك فيقول ما ٱسمُك أيّها الشيخ فيقول أنا الخيتعور أحد بني الشيصبان و لَسْنا من وَلَد إبليس و لكنّا من الجنّ الذين كانوا يسكنون الأرض قبل وَلَد آدم صلّى الله عليه فيقول أَخْبِرْني عن أشعار الجنّ فقد جَمَعَ

(٤) المعروفُ بالمرزُبانيّ قطعةً صالحةً فيقول ذلك الشيخ إنّما ذلك هَذَيان لا معتمد عليه و هل يَعرف البشرُ من النظيم إلّا كما تعرف البقر من علم الهيئة و مِسَاحة الأرض و إنّما لهم خمسة عشر جنسًا من الموزون قلّ ما يعدوها القائلون و إنّ لنا لآلاف أَوزان ما سمعَ بها الإنس و إنّما كانت تخطر بهم أُطَيْفَال منّا عارفون (٥) فتَنْفُثُ إليهم مقدارَ الضوازةِ من أراك نعمان ولقد نظمتُ الرجز و القصيد قبْل أن يُخلَق آدم بِكور أو كورَيْن و قد بلغَنى أنّكم معشر الإنس تلهجون بقصيدة (٦) امرئ القيس (٧) قِفَا نَبْكِ مِن ذِكَرى حَبِيبٍ وَ مَنْزِلِ و تحفظونها الحزاورة فى المكاتب و إن شئتَ أمليتُك ألف كلمة على هذا الوزن و كلُّ ذلك لشاعرٍ منّا هلكَ و هو كافرٌ و هو الآن يشتغل فى أطباق الجحيم فيقول أيّها الشيخ لقد بقى عليك حَفْظُك فيقول لسْنا مثلَكم يا بنى آدم يغلب علينا النسيان و الرطوبة لأنّكم خُلِقتم مِن حمأ مسنون و خُلِقْنا من مارج من نار فتحمله الرغبة فى الأدب أن يقول لذلك الشيخ أَفَتُمِلّ علىّ شيأً من تلك الأشعار فيقول فإذا شئتَ أمللتُك ما لا تَسِقُه الرِكَاب و لا تَسَعُه صُحُف دنياك فيهمّ بأن يكتتب منه ثمّ يقول لقد شقيتُ فى الدار العاجلة بجَمْع الأدب و لم أَحْظَ منه بِطَائِلٍ و لستُ بُمَوفّق إن تركتُ لذّات الجنّة و أقبلتُ أنتسخ آداب الجنّ و معى من الأدب ما هو كافٍ لا سيّما و قد شاع النسيان فى أهل أدب الجنّة فصرتُ مِن أكثرهم روايةً و أوسعهم حفظًا و لله الحمدُ و يقول لذلك الشيخ ما كنيتُك لأُكْرِمكَ بالتكنية فيقول أبو هدرش أوْلدتُ من الأولاد ما شاءَ اللّهُ فَهُمْ قبائل بعضُهم فى النار المُوقَّدة و بعضهم فى الجِنَان

فيقول يا أبا هدرش [8] ما لى أراك أشْيب و أهل الجنّة شباب فيقول إنّ الإنس أُكرِموا بذلك و حُرِمْناه لأنّا أُعطِينا الحولةَ فى الدار الماضية فكان أحدُنا إن شاء صار حيّةً رقشاء و إن شاء صار عصفوراً و إن شاء صار حمامةً فمُنِعنا التصوّرَ فى الدار الآخِرة و تُرِكنا على خلقنا لا نتغيّرُ و عُوِّض بنو آدم كَوْنَهم فيما حسُن من الصور

HELL

يمضى فإذا هو بآمرأة فى أقصى الجنّة قريبة من المطلع إلى النار فيقول مَن أنتِ فتقول أنا [9] الخنساء السّلميّة أحببتُ أن أنظر إلى صخْر فاطّلعتُ فرأيتُه كالجبل الشامخ و النار تضطرم فى رأسه فقال لقد صحّ مزعمُكِ فىّ يعنى قولى

[10] و إنّ صخرا لتأتمّ الهُدَاةُ به　　　كأنّه عَلَمٌ فى رأسِه نار

فيطّلع فيرى إبليس لعنه اللّٰه و هو يضطرب فى الأغلال و السلاسل و مقامع الحديد تأخذه من أيدى الزبانية فيقول الحمد للّٰه الذى أمكن منك يا عدوّ الله و عدوّ أوليائه لقد أهلكتَ من بنى آدم طوائف لا يعلم عددَها إلّا اللّٰهُ فيقول مَن الرجل فيقول أنا فلان بن فلان من أهل حلب كانت صناعتى الأدب أتقرّب به إلى الملوك فيقول بِئْسَ الصناعة إنّها تَهَبُ غُفَّةً من العيش لا يتّسع بها العِيال و إنّها لَمَزَلَّة القَدَم و كَمْ أهلكتُ مثلَك فهنيئا لك إذ نجوتَ و ان لى إليك لَحاجةً فإن قضيتَها شكرتُك يدَ المنون فيقول إنّى لا أقدر لك على نفعٍ فإنّ الآية سبقتْ فى أهل النار أعنى

قوله تعالى (١١) وَ نَادَى أَصْحَابُ ٱلنَّارِ أَصْحَابَ ٱلْجَنَّةِ أَنْ أَفِيضُوا عَلَيْنَا مِنَ ٱلْمَاءِ أَوْ مِمَّا رَزَقَكُمُ ٱللّٰهُ قَالُوا إِنَّ ٱللّٰهَ حَرَّمَهَا عَلَى ٱلْكَافِرِينَ

* * *

The Length of my Longing

من (١) قول أبي (٢) نُوَاس

طُولُ ٱشْتِيَاقِي وَ ضِيقُ مُصْطَبَرِي — يُقَلِّبَانِ الفُؤَادَ بِالفِكَرِ
فَالحُبُّ ضَيْفٌ عَلَيَّ مُعْتَكِفٌ — وَ القَلْبُ مِن مِحْنَةٍ عَلَى خَطَرِ
يَبْتَعِثُ الشَّوْقَ مِن مَكَانِهِ — وَجْهٌ زَهَا حُسْنُهُ عَلَى القَمَرِ

* * *

Come, my Friend!

من (١) قول إِيَّاس بن (٢) الأَرَتّ

هَلُمَّ خَلِيلِي وَ ٱلْغَوَايَةُ قَدْ تُصْبِي — هَلُمَّ نُحَيِّي المُنْتَشِينَ مِنَ الشَّرْبِ
نُسَلِّ مَلَامَاتِ الرِّجَالِ بِرَيَّةٍ — وَ نَفْرِ شُرُورَ ٱلْيَوْمِ بِٱللَّهْوِ وَ ٱللَّعِبِ
إِذَا مَا تَرَاخَتْ سَاعَةٌ فَٱجْعَلَنَّهَا — لِخَيْرٍ فَإِنَّ الدَّهْرَ أَعْصَلُ ذُو شَغْبِ
فَإِنْ (٣) يَكُ خَيْرٌ أَوْ يَكُنْ بَعْضُ رَاحَةٍ — فَإِنَّكَ لَاقٍ مِنْ غُمُومٍ وَ مِنْ كَرْبِ

19

SAIF AL-DAULA

حدّثنى أبو يعلى محمّد بن يعقوب البريدىّ الكاتب قال لمّا قصدتُ [1]سيفَ الدولة أكرمَنى و أَنِس بى و أنعمَ علىّ و كنتُ أحضر ليلًا فى جملة من يحضر قال فقال لى ليلةً من الليالى كان [2]قتْلُ أبيك أبركَ الأشياء علىّ فقلتُ كيف ذاك أطالَ اللّٰهُ بقاءَ مولانا قال لمّا رجعْنا من بغداد ٱقتصر بى أخى ناصر الدولة على نصيبين فكنتُ مُقيمًا فيها و لم يكن ٱرتفاعُها يكفينى فكنتُ أدافع الأوقات و أصبر على مضض من الإضاقة مدّةً ثمّ بلغتْنى أخبارُ الشام و خُلوّها إلّا من يانس المؤنسىّ و كون [3]ٱبن طغج بمصر بعيدًا منها و رضاه بأن يجعل يانس عليها و يحمل إليه الشىء اليسير منها ففكرتُ فى جَمْع جيش و قصْدها و أخْذها و طرْد يانس و مدافعة ٱبن طغج إن سار الىّ بجُهْدى [4]فإن قدرتُ على ذلك و إلّا كنتُ قد تعجّلتُ من أموالها ما تزول به إضاقتى مدّةً و وجدتُ جَمْعَ الجيش لا يُمْكِن إلّا بالمال و ليس لى مالٌ فقلتُ أقصدُ [5]أخى و أسألُه أن يعاونَنى بألف رجلٍ من جيشه [6]يُزِيح هو علّتهم و يُعطينى شيئًا من المال و أَخرج بهم فيكون عملى زائدًا فى عمله و عِزّه قال و كانت تأخذُنى حمّى ربع فرحلتُ إلى الموصل [7]على ما بى و دخلتُ إلى أخى و سلّمتُ عليه فقال ما أقدمَك فقلتُ أمرٌ أذكره بعدَ فرحّب و ٱفترقنا فراسلتُه فى هذا المعنى و شرحتُ له فأظهر من المنع القبيح و الردّ الشديد غير قليل ثمّ شافهتُه فكان أشدّ ٱمتناعًا و طرحتُ عليه جميعَ من كان يتجاسر على خطابه فى مثل

هذا فيردّهم قال و كان لجوجًا إذا مَنَعَ من الأوّل شيًّا يُلتمس منه أقام على المنع قال و لم يبْق فى نفسى من يجوز أن أطرحه عليه و أقدّر أنّه يُجيبه إلاّ ٱمرأته الكرديّة والدة أبى تغلب قال فقصدُتها و خاطبتُها فى حاجتى و سألتُها مسألته فقالت أنتَ تعلمُ خُلْقَه و قد ردّك و إن سألتُه عقيبَ ذلك ردّنى أيضا فأخرق جاهى عنده و لم يقْض الحاجة و لكن أَقمْ أيّامًا حتّى أظفر منه فى خلال ذلك بنشاطٍ أو سببٍ أجعلهُ طريقًا للكلام و المشورة عليه و المسألة له قال فعلمتُ صحّة قولها فأقمتُ قال فإنّى جالسٌ بحضرته يومًا إذ جاءه برّاج بكتاب طائر عرّفه سقوطه من بغداد فلمّا قرأه اسودّ وجهُه و ٱسترجع و أظهر قلقًا و غمًّا و قال إنّا لله و إليه راجعون يا قومُ المتجعرف الأحمق الجاهل المبذّر السخيف الرأى الردئ التدبير الفقير القليل الجيش يقتل الحازم المرتفق العاقل الوثيق الرأى الضابط الجيّد التدبير الغَنِىّ الكثير الجيش فرمى الكتاب و قال قِفْ عليه فإذا هو كتاب خليفته ببغداد [8] بتاريخ يومْين يقول ان فى هذه الساعة تناصرت الأخبار و صحّت بقتْل أبى عبد الله البريدىّ أخاه أبا يوسف و ٱستيلائه على البصرة قال فلمّا قرأتُ ذلك مع ما سمعتُه من كلامه متُّ جزعًا و فزعًا و لم أشكّ أنّه يعتقدنى كأنّى أبو عبد الله البريدىّ فى الأخلاق التى وصفه بها و يعتقد فى نفسه أنّه كأبى يوسف و قد جئتُه فى أَمْرِ جيشٍ و مالٍ و لم أشكّ أنّ ذلك سيُولِد له أمرًا فى القبض علىّ و حَبْسى فأخذتُ أُداريه و أُسكّن منه و أطعنُ على أبى عبد الله البريدىّ و أزيد فى الاستقباح لِفعْلِه و تعجيز رأيه إلى أن ٱنقطع الكلام ثمّ أظهرتُ له أنّه قد ظهرتِ الحمّى التى تجيئنى و أنّه وقتُها و قد جاءت فقمتُ فقال يا غلمان

[٩]بين يديه فركبتُ دابّتى و حركتُ إلى معسكرى و قد كنتُ منذ وردتُ
و عسكرى ظاهرَ البلد و لم أنزل دارًا قال فحين دخلتُ إلى معسكرى و كان
بالدَيْر الأعلى لم أنزل و قلتُ لغلمانى ٱرحلوا الساعةَ و لا تضربوا
بوقًا و ٱتبعونى و حركتُ وحْدى فلحقنى نفرٌ من غلمانى و كنتُ أركض على
وجهى خوفًا من مبادرة ناصر الدولة إلىّ بمكروهٍ قال فما عقلتُ حتّى وصلتُ
إلى بلد فى نفر قليل من أهل معسكرى و تَبِعَنِى الباقون فحين وردوا نهضتُ
للرحيل و لم أَدَعْهم أن يُرْخوا و خرجْنا فلمّا صرنا إلى فرسخ من البلد اذا
بأعلام و جيش لاحقون بنا فلم أشكّ أنّ أخى أنفذهم للقبض علىّ فقلتُ لِمَنْ
معى تأهّبوا للحرب و لا تبدأوا و حُثّوا السير قال فإذا بأعرابىٍّ يركض وحده
حتّى لحق بى و قال أيّها الأمير ما هذا السير المُحَثّ خادمُك [١٠]دَنْحَا قد
وافى برسالة الأمير ناصر الدولة و يسألك أن تتوقّف عليه حتّى يلحقك قال
فلمّا ذَكَرَ دَنْحَا قلتُ لو كان شرًّا ما ورد دنحا فيه فنزلتُ و قد كان السير كدّنى
و الحمّى قد أخذتْنى فطرحتُ نفسى لِمَا بى و لحقنى دنحا و أخذ يعاتبنى على
شدّة السير فصدقتُه عمّا كان فى نفسى فقال ٱعلم أنّ الذى ظننتَه ٱنقلب و قد
تمكنتْ لك فى نفسه هيبةٌ بما جرى و بعثنى إليك برسالة يقول لك إنّك قد
كنتَ جئتَنى تلتمس كَيْت و كَيْت فصادفتَ منّى ضجرًا و أجبتُك بالردّ ثمّ
علمتُ أنّ الصوابَ معك فكنتُ منتظِرًا أن تعاودنى فى المسألة فأُجيبَك فخرجتَ
من غير معاودة و لا توديع و الآن إن شئتَ فأقِمْ بِسِنْجار أو بنصيبين فإنّى
مُنْفِذ إليك ما ٱلتمستَ من المال و الرجال لِتَسِيرَ إلى الشام قال فقلتُ لدنحا
تَشْكُرُهُ و تجزيه الخير و تقول كذا و كذا — أشياء واقفته عليها — و تقول

إنّى خرجتُ من غير وداع لخبرٍ بلغنى فى الحال من طُرُوق الأعراب لعملى

فركبتُ لألحقهم و تركتُ معاودة المسألة [11]تخفيفًا فإذا كان قد رأى هذا

فأنّا ولدُه و إن تَمَّ لى شىءٌ فهو له و أنا مُقيم بنصيبين لأنتظر وَعْدَه قال

و سرْتُ و رجع دنحا فما كان إلّا أيّام يسيرة حتّى جاءنى دنحا و معه ألف رجلٍ

قد أُزِيحَت عللهم و أُعطوا أرزاقهم و نفقاتهم و عُرِضت دوابّهم و بغالهم

و معهم خمسون ألف دينار و قال هؤلاء الرجال و هذا المال فٱسْتَخِرِ اللّٰهَ

و سِرْ قال فسرتُ إلى حلب و ملكتُها و كانت [12]وقائعى مع الإخشيديّة بعد

ذلك المعروفة و لم يزل بينى و بينهم الحرب إلى أن ٱستقرّتِ الحال بيننا على أن

أفرجوا لى عن هذه الأعمال و أفرجتُ لهم عن دمشق و ٱستغنيت عنه و كلّ ذلك

فسببُه قتْلُ عمّك لأبيك

* * *

We Guard our Own

من [1]قول عَبيد بن [2]الأَبْرَص

نَحْمِى حَقِيقَتَنَا وَ نَمْنَعُ جَارَنَا	وَ [3]نَلُفُّ بَيْنَ أَرَامِلِ الأَيْتَامِ
وَ نَسِيرُ لِلْحَرْبِ العَوَانِ إذَا بَدَتْ	حَتَّى نَلُفَّ ضِرَامَهَا بِضِرَامِ
[4]لَمَّا رَأَيْتَ جُمُوعَ كِنْدَةَ أَحْجَمَتْ	عَنَّا وَ كِنْدَةُ [5]غَيْرُ جِدِّ كِرَامِ
أَزَعَمْتَ أَنَّكَ سَوْفَ تَأْتِى [6]قَيْصَرًا	فلتَهْلِكَنَّ إذًا و أَنْتَ شَآمِى
نَأْبَى عَلَى النَّاسِ المَقَادَةَ كُلِّهِمْ	حَتَّى نَقُودَهُمْ بِغَيْرِ زِمَامِ

* * *

19. SAIF AL-DAULA

I say to my Soul

من [1]قول قطرى بن [2]الفجاءة

أَقُولُ [3]لَهَا وَ قَدْ طَارَتْ شَعَاعًا مِنَ الأَبْطَالِ وَيْحَكِ لا تُرَاعِي

فَإِنَّكِ لَو سَأَلْتِ بَقَاءَ يَوْمٍ عَلَى الأَجَلِ ٱلَّذِى لَكِ لم تُطَاعِي

[4]فَصَبْرًا فى مَجَالِ المَوْتِ صَبْرًا فَمَا نَيْلُ ٱلْخُلُودِ بِمُسْتَطَاعِ

سَبِيلُ المَوْتِ غَايَةُ كُلِّ حَيٍّ فَدَاعِيهِ لأَهْلِ الأَرْضِ دَاعِ

وَ مَنْ لَا يُعْتَبَطْ يَسْأَمْ وَ يَهْرَمْ وَ تُسْلِمْهُ المَنُونُ إلى ٱنْقِطَاعِ

وَ مَا لِلْمَرْءِ خَيْرٌ فى حَيَاة اذَا مَا عُدَّ مِنْ سَقَطِ المَتَاعِ

20

THE STATIONS OF THE MYSTIC

[1]أوقفني في الموت فرأيتُ الأعمال كلّها سيّئات و رأيتُ الخوف يتحكّم على الرجاء و رأيتُ الغِنى قد صار نارًا و لحق بالنار و رأيتُ الفقر خصما يحتجّ و رأيتُ كلّ شيء لا يقدر على شيء و رأيت المُلْك غرورًا و رأيت الملكوت خِداعًا و ناديتُ يا علمُ فلم يُجِبني و ناديتُ يا معرفة فلم تجبني و رأيتُ كلّ شيء قد أسلمني و رأيتُ كلّ خليقة قد هرب منّي و بقيتُ وحدي و جاءني العملُ فرأيت فيه الوهم الخفيّ و [2]الخفيّ الغابر فما نفعني إلّا رحمةُ ربّي

أوقفني و [3]قال لي مَن أنت و مَن أنا فرأيتُ الشمس و القمر و النجوم و جميع الأنوار و قال لي ما بقي نور في مجرى يجري إلّا و قد رأيتَه و جاءني كلّ شي حتّى لم يَبْقَ شيء فقبّل بين عينيّ و سلّم عليّ و وقف في الظلّ و قال لي تَعْرِفُني و لا أعرفُك فرأيتُه كلّه يتعلّق بثوبي و لا يتعلّق بي و قال هذه عبادتي و مال ثوبي و ما مِلْتُ فلمّا مال ثوبي قال لي مَن أنا فكسفتِ الشمس و القمر و سقطتِ النجوم و خمدتِ الأنوار و غشيت الظلمة كلَّ شيء سِواهُ و لم ترَ عيني و لم تسمع أذني و بطل حسّي و نطق كلّ شيء فقال الله أكبرُ و جاءني كلّ شيء و في يده حربةٌ فقال لي آهرب فقلتُ إلى أين فقال قَعْ في الظلمة فوقعتُ في الظلمة فأبصرتُ نفسي فقال لي لا تبصر غيرَك أبدًا و لا تخرج من الظلمة أبدًا فإذا أخرجْتك منها أريتُك نفسي فرأيتَني

فرأيتُ كلّ شيء ينبت و يطول كما ينبت الزرع و يشرب الماء كما
يشربه و طال حتّى جاوز العرش و (4)قال لى إنّه يطول أكثر ممّا طال و إنّنى
لا أحصده و جاءت الريح فعبرتْه فلم تتخلّله و جاءت السحاب فأمطرتْ
على العود و أنبل الورق فاخضرّ العود و اصفرّ الورق فرأيتُ كلّ متعلّق
منقطعا و كلّ معلّق مختلفا و قال لى لا تسألنى فيما رأيتَ فإنّك غير محتاج و لو
أحوجتُك ما أريتُك و لا تقعد فى المزبلة فتهرّ عليك الكلاب و اقعد فى القصر المصوَّن
و سدّ الأبواب و لا يكون معك غيرُك و إن طلعتِ الشمس أو طار طائر فاستر وجهَك
عنه فإنّك إن رأيتَ غيرى عبدْتَه و إن رآك غيرى عَبَدَكَ و إذا جئْتَ إلىّ فهاتِ
الكلَّ معك و إلّا لم أقبلك فإذا جئتَ به رددتُه عليك و لا تنفعك شفاعة الشافعين

قال لى أفل الليل و طلع وجهُ السحر و قام الفجر على الساق (5)فاستيقظى
أيّتها النائمة إلى ظهورك و قِفِى فى مصلّاك فإنّنى أخرجُ من المحراب فليكن
وجهُك أوّل ما ألقاه فقد خرجتُ إلى الأرض مرارًا و عبرتُ إلّا فى هذه المرّة
فإنّنى أقمتُ فى بيتى و أريد أن أرجع إلى السماء فظهورى إلى الأرض هو
جوازى عليها و خروجى منها و هو آخر عهدها بى ثمّ لا ترانى و لا ما
فيها أبد الأبدين و إذا خرجتُ منها إن لم أمسكها لم تقم و أحلُّ المنطقة
فينتثر كلّ شىء وأنزعُ درعى و لأمتى فتسقط الحرب و أكشف البرقع و لا
ألبسه و أدعو أصحابى القدماء كما وعدتُهم فيصيرون إلىّ و يَنْعَمون
و يتنعّمون و يرون النهار سرمدًا ذلك يومى و يومى لا ينقضى

* * *

Quḍāʿa Knows

من (١)قول (٢)المتنبّى

(٣)قُضَاعَةُ تَعْلَمُ أَنّى الفَتى الذى آدَّخَرَتْ لِصُرُوفِ الزَمَانِ

وَ مَجْدى يَدُلُّ بَنى (٤)خِنْدِفٍ على أَنَّ كُلَّ كَرِيمٍ يَمَانى

أَنا آبْنُ اللِقاءِ أَنا آبْنُ السَخاءِ أَنا آبْنُ الضِرابِ أَنا آبْنُ الطِعانِ

أَنا آبْنُ الفَيافى أَنا آبْنُ القَوافى أَنا آبْنُ السُرُوجِ أَنا آبْنُ الرِعانِ

طَوِيلُ النِجادِ طَوِيلُ العِمادِ طَوِيلُ القَناةِ طَوِيلُ السِنانِ

حَدِيدُ الحِفاظِ حَدِيدُ اللِحاظِ حَدِيدُ الحُسامِ حَدِيدُ الجَنانِ

يُسابِقُ سَيْفى مَنَايَا العِبادِ إِلَيْهِمْ كَأَنَّهُمَا فى رِهَانِ

يَرَى حَدُّهُ غامِضاتِ القُلُوبِ (٥)إذا كُنْتُ فى هَبْوَةٍ لا أَرانى

سَأَجْعَلُهُ حَكَمًا فى النُفُوسِ و لو نابَ عنه لِسانى كَفانى

* * *

The Exile

(١)قال عبد الرحمان بن (٢)معاوية

تَبَدَّتْ لَنا وَسْطَ (٣)الرُصافَةِ نَخْلَةٌ تَناءَتْ بِأَرْضِ الغَرْبِ عن بَلَدِ النَخْلِ

فَقُلْتُ (٤)شَبِيهِى فى التَغَرُّبِ و النَوَى وَ طُولِ التَنائى عن بَنِىّ و أَهْلِى

نَشَأْتِ بِأَرْضٍ أَنْتِ فيها غَرِيبَةٌ فَمِثْلُكِ فى الإِقْصاءِ و المُنْتَأَى مِثْلِى

GLOSSARY

Two Arabic abbreviations have been used:

م for مؤنَّث feminine,

ج for جمع plural.

After the root form of verbs the characteristic vowel of their imperfect has been entered: a for fatha, i for kesra, o for damma. Where a verbal noun of a root form is used in the book, it is normally entered in the glossary in its accusative case after its verb. Verbal nouns of the derived forms are not normally given in the glossary.

The more common or important proper names are given, together with those whose context might make them misleading.

أَ	*interrogative particle*
أَبَد	perpetuity, future eternity
أَبَدَ ٱلْآبِدِينَ	for ever
أَبَدًا	*with preceding negative*, never
إِبْرَاهِيمُ	Abraham
ابط	V, to carry under one's armpit
أَبِلِينَة	whale
ابن و ابنة	*see* بنى
أَب ج آبَاء	father
أَبَى a	to refuse
أَبِيّ	haughty
أَتَابِك	a title of Turkish chiefs

أَتَى i	to come to; *with* ب to bring, produce, commit: IV, *with a double accusative*, to give (something) to (someone)
هاتِ	give! *imperative IVth form of* أَتَى
أَثَرَ i o	to relate; II, to have an effect on, make an impression on; IV, to choose, prefer
أَثَر ج آثار	trace, footstep, tradition
فى أَثَرِهِ	in his steps, immediately after him
أَجْر	wage
أُجْرَة	salary, hire, wage
أَجِير	hireling, labourer
أَجَل	fixed period, term
أَحَد م إِحْدَى	one
أَخَذ o أَخْذًا	to take, seize; *with following imperfect*, to begin; VIII, to take for oneself, to get
اخر	II, to draw back, put behind, delay; V, *with* عن, to be after
آخَر م أُخْرَى	another, other
آخِر	end, last
اَلْآخِرَة	the next world
أَخِير	last, final
أَخ ج إِخْوان	brother

أُخْت sister

ادب II, to punish, correct

أَدَب ج آدَاب good breeding, good manners, literature

ادم V, *with* ب, to use as seasoning, to add to a meal of bread

أُدْم leather

آدَمُ Adam

إِذْ when, since

إِذا when, whenever; *with nominative or* ب, suddenly

إِذًا و إِذَن then, in that case

إِذ ذاك then, at that time

اذربيجان *place-name*

أَذِنَ a to permit; *with* ل *and* فى, to give permission to (someone) in (a matter); X, to ask permission

أُذُن و أُذْن ج آذان ear

اذى IV, to injure, harm

ارخ II, to write the history of

مُؤَرِّخ historian

تَأْرِيخ ج تَوَارِيخ history, date

أَرِسْطُوطَالِيس Aristotle

أَرْض earth, land

أَرَاك	Arāk, name of a thorny tree
أَرَانِية	*place-name*
آزر	*proper name*
إِزَار	waist-wrapper, loin-cloth
أَزَلِيّ	eternal
أَزْم	calamity
اسّ	II, to lay the foundation of
أَسَس ج آسَاس	foundation
أُسْتَاذ	master, teacher
أَسَد	lion
أَسَر i	to take captive
إِسَار	captivity
بِأَسْرِهِم	all of them
إِسْرَئِيل	Israel
اَلإِسْكَنْدَر	Alexander
أسلم	*proper name*
اِسْم ج أَسْمَاء و أَسَامٍ	name, fame
أَصْل ج أُصُول	root, origin, foot (of a hill), principle
أَصْلًا	entirely
لا . . . أَصْلًا	not at all

إِطرابلس	Tripoli
أُفّ	*exclamation of disgust*
إِفْرِيقِيَة	Ifrīqīya, the eastern portion of the North African littoral
إِفْرَنْجة	France
اَلإِفْرَنْج	the Franks
أُفْق و أُفُق ج آفَاق	horizon
أَفَل o i	to set (of the stars, etc.)
إِفْلَاطُون	Plato
اكد	II, to strengthen
أَكَّار ج أَكَرَة	labourer, husbandman
أَكَل o أَكْلًا	to eat
مَأْكَل	food
اَل	*the definite article*
لِئَلا	in order not to, lest
إِلّا	if not, except, otherwise
اَلَّذِى م اَلَّتِى	who, which, he who, that which
أَلْف ج آلاف	a thousand
أُلْفَة	friendship
أَلُوف	friendly, tame

إِلٰه	a god
اَللّٰهُ	the (true) God
اَللّٰهُمَّ	O my God!
إِلْى ج آلَاء	benefit, favour
إِلَى	towards, to
أَمَّ	VIII, *with* ب, to guide oneself by
أُمّ ج أُمَّهَات	mother
أَمَامَ	before, in front of
إِمَام	Imām
أُمَّة ج أُمَم	people, nation
أَمْ	*interrogative particle*, or?
أَمَّا	*with a following* ف, as regards
إِمَّا . . . إِمَّا	either...or
أَمَرَ o أَمْرًا	to order, command; II, *with accusative and* على, to put (someone) in charge of (something); IV, to order
أَمْر ج أَوَامِر	command, order, rule
أَمْر ج أُمُور	thing, affair
أَمِير ج أُمَرَاء	emir, chief, commander
أَمْسِ	yesterday
امل	II, to put one's hope in; V, to consider, contemplate

أَمْل	hope
a أَمِن	to be secure, to trust in; II, to make safe; IV, *with* ب to believe in
أَمَان	security, safe-conduct
أَمَانَة	deposit, a thing entrusted to someone
إِيمَان	faith, belief
أَمِين ج أُمَنَاء	loyal, trusty
مُؤْمِن ج مُؤْمِنُون	believer
أَنْ و أَنَّ	that, *conjunctive*
كَأَنْ و كَأَنَّ	as if, as though
لِأَنْ و لِأَنَّ	because
إِنْ	if
إِنَّ	truly, verily
إِنَّمَا	only
أَنَا	I
أَنْتَ م أَنْتِ ج أَنْتُم م أَنْتُنَّ	you
أُنْثَى ج إِنَاث	female
اَلْأَنْدَلُس	Andalusia, Spain
أَنْدَلُسِيّ	Andalusian, Spanish
a أَنِس	to be polite; *with* ب, to be friendly with; X, to be friendly

إِنْس	mankind
أَنَس	*proper name*
إِنْسِىّ	a human being
إِنْسَان	a man
إِنْسَانىّ	human
انطابلس	*place-name*
أَنْف	nose
أَنَفَة	modesty, sense of shame
أَنُوشِروَان	Anushirwan, *proper name*
اهب	V, to prepare for
أُهْبَة	provision
أَهْل	family, people
أَهْل ل	worthy of
أَوْ	or
مَآب (اوب)	place to which one returns
آل o	to reach, come back to
آل	family
آلة ج آلَات	instrument, tool
أَوّل م أُولى ج أُوَل	first
أَوّل ج أَوَائل	principle, principal

أَوَائِل ٱلعَسْكَر	the advanced guards, the vanguard
إِيَالَة	government
اَلْآنَ (اون)	now
أَوَى إِلى	to retire to, to shelter or rest against
آيَة ج آيَات	sign, miracle, verse of the Qur'ān
أَيْ	that is, namely
أَيْ	O!
أَيّ	which, what?
أَيْش (for أَيّ شىء)	what?
إِيرلَانْدَة	Ireland
أَيِس a إِيَاسًا	to despair of, to consider impossible
أَيْضا	also
أَيْلُول	September
أَيْن	where?
أَيْنَما	wherever
أَيُّهَا م أَيَّتُهَا	O!
ب	at, with, in, for, by
بِئْس	*verb of blame*, to be evil
بَأْس	strength, courage
بُؤْس	harm, misfortune

بَجْدَة	origin, real state of a thing
بَحْرٌ ج بِحَار	sea
بَخْ	*exclamation of praise*, bravo!
بُخْتِيشُوع	*proper name*
بُخْتَنَصَّر	Nebuchadnezzar, *proper name*
بُخَارا	Bukhārā, *place-name*
بُدٌّ	escape
لَابُدَّ	necessarily
a بَدَأَ	to begin; VIII, *same sense*
بَدْء	beginning
اِبْتِدَاء	beginning
مَبْدَأ	beginning, origin
o بَدَر	to hasten towards; III, to come up to, to hasten to do something; VI, to hasten, to come out
مُبَادِرَة	*verbal noun* بدر III
بدل	X, to seek for a change
بَدَن ج أَبْدَان	body
o بَدَا	to appear, to seem good; IV, to show, display; V, to appear
بَادِيَة	desert
بَذَاء	dissoluteness

مُبَذِّر	spendthrift
بَذَل o i	to offer, give generously; VIII, to be in daily use
بَرّ	land, mainland, continent
بَرِّيَّة	desert
اَلْبَرْبَر	the Berbers
بَرْبَرِىّ	belonging to the Berbers, a Berber
بَرّاج	*proper name*
بَرِح a	to go, leave, cease
اَلْبَارِحَة	yesterday
بَرْد	coldness
بَارِد	cold
بَرِيد	courier, postal service, mail
بَرِيزَة	Paris
بُرْقُع	veil
بَرْقَة	*place-name*
برك	VI, to be blessed
أَبْرَك	more blessed
برم	IV, to arrange something well
بُرْنُس ج بَرَانِس	mantle, burnoose
بَرْهَمَن ج بَرَاهِمَة	Brahmin

بَزَّ o — *with accusative and* ب, to take (something) away from (someone), deprive (one) of (something)

بَزّ — cloth, linen

بُسْتَان — garden

بَسَطَ o — to spread, to stretch out

بسم — V, to smile

بَشَرَ i — to rejoice; IV, to give good news; X, to rejoice at

بَشَر — man, mankind

بَصُرَ o — *with the accusative or* ب, to see (something); IV, to give sight to, make seen, to see

بَصَر ج أَبْصَار — sight

اَلْبَصْرَة — Basra, *place-name*

بَصَقَ o — to spit

بَصَل — onion, *collective*

بِضَاعَة ج بَضَائِع — goods, merchandise

بطؤ — IV, to delay, postpone

بَطِيء — slow

بَطْرِيك ج بَطَارِكَة — Christian patriarch

بَطَلَ o — to be of no avail; II, to give up, annul, render worthless; IV, to refute

بَطْل ج أَبْطَال — hero, warrior

بَاطِل ج أَبَاطِيل	falsehood, trifle
بَطْن ج بُطُون	belly
a بَعَثَ	to send; VIII, to rouse
بَعْثَة	mission
بعد	II, to remove far from, to banish
بُعْد	distance, remoteness
بَعْدُ	afterwards, now, still
بَعْدَ	after, afterwards
بَعِيد	distant, remote
بَعِير	camel
بَعْض	some, someone
بعلبك	Ba'lbek, *place-name*
بغداد	Baghdād
بغض	IV, to hate
بُغْض	hatred, dislike
بَغْل م بَغْلَة ج بِغَال	mule
بغى	VII, to be convenient, fitting, needful
بَقَر	cows, oxen, *collective*
a بَقِيَ	to remain; IV, to make to remain; *with* على, to spare; X, to preserve, allow to live

بَقَاء survival, remaining

بَقِيَّة remainder

بَكْر young (camel).

بُكْرَة early morning, daybreak, tomorrow

بَكَى i to weep

بُكَاء weeping, tears

بَلْ but rather, on the contrary

أَبَلّ wicked, ferocious

بَلْخِيّ pertaining to the town of Balkh

بَلَد و بَلْدَة ج بِلَاد و بُلْدان country, land, town

بلع VIII, to swallow up

بَلَغَ o بُلُوغًا to reach; II, *with a double accusative*, to cause to reach, inform of; V, *with* ب, to be contented with

مَبْلَغ limit, extent

بَلَاغَة eloquence

بلاسغون *place-name*

بَلَا o to try, test, afflict

بَلِيَ a to be worn away, worn out; III, *with the accusative or* ب, to pay attention to, care for; IV, *with accusative and* ب, to afflict (someone) with (something); أَبْلَى بَلَاءً to show gallantry; VIII, to try, test, afflict

بَلَاء	trial, sorrow, misfortune
بَلْوى ج بَلَايا	misfortune
اِبْتِلاء	testing, *verbal noun*
بَلَى	no rather
بَنَان	fingers
بَنَى i بُنْيَانًا	to build; V, to adopt as a son; VIII, to build, have something built
بِنَاء ج أَبْنِيَة	a building
مَبْنِيّ	built, constructed
اِبْن ج بَنُون و اَبْنَاء	son
اِبْنَة و بِنْت ج بَنَات	daughter
بُنَيَّة	*diminutive*, little daughter
بَهْجَة	beauty
بَهِيمَة ج بَهَائِم	beast, quadruped
بَاب ج أَبْوَاب	gate, door
بَوَّاب	gate-keeper
بَاح o	*with* ب, to reveal; IV, *with double accusative*, to declare (something) permissible to (someone)
بَوَار	perdition
بُوق	trumpet
بَال	heart, mind

بَاتَ i	to pass the night, to spend (time)
بَيْت ج بُيُوت و أَبْيَات	house, home, chamber, verse (of poetry)
بَيْتُ ٱلْمُقَدَّس	Jerusalem
بَيْتُ ٱلْمَال	treasury
بَيْذَق	pawn (in chess)
بَيَاض	whiteness
أَبْيَض م بَيْضَاء	white
بَاعَ i	to buy or sell; VI, to trade with, to buy; VIII, to buy
بَيْعَة	oath of allegiance (to a caliph)
بِيعَة ج بِيَع	church
بِيمَارِسْتَان ج بيمارستانات	hospital
بَانَ i	to be plain, clear, visible; II, to explain; III, to differ from; V, to appear
بَيْن	between, amongst
بَيْنَا و بَيْنَمَا	while
مُبِين	clear, obvious
مُبَايَنَة	*verbal noun* بَانَ III.
تَبِعَ a	to follow; VI, to follow one another; VIII, to follow
تَبُوك	*place-name*

تِبْن	straw, *collective*
تِبْنَة	a straw
اَلتَتَر	the Tartars, Mongols
تَاجِر ج تِجَار و تُجَّار	merchant, trader
تِجَارَة	trade, trading, merchandise
تُجَاه	before, in front of
تَحْتَ	under
تُخْم ج تُخُوم	boundary, border
تُرَاب	earth, dust
مُتَرْجِم	translator
تَرَكَ ٥ تَرْكًا	to leave
تُرْك ج أَتْرَاك	Turk
تُرْكِيّ – ة	Turk, Turkish
تُرْكِسْتَان	Turkistan, *place-name*
تِسْعَة م تِسْع	nine
تِشْرِين الأَوَّل	October
تِشْرِين الثَّانِي	November
تَعَب	weariness, toil
تَعْبَان	tired, fatigued
تكين	*proper name*

تَلَف	destruction
تِلْكَ	*see* ذلك
تَتَلْمَذَ	to become the pupil, disciple, of
تِلْمِيذ	pupil, disciple
تَمَّ	to be complete, finished
تَامّ	complete, entire
أَتَمّ	*elative of* تَامّ
تَمَام	entirety, completion
تَابَ o	to repent
تَوْبَة	repentance
ثَبُتَ o	to be firm, steady; IV, to establish
ثخن	IV, to cover with wounds, to distress
ثَعْلَب	fox
ثَغْر ج ثُغُور	frontier, border
ثقة	*see* وثق
ثَقُلَ o	to be heavy, disagreeable; II, to make heavy, to burden
ثِقْل ج أَثْقَال	weight, burden
ثُلْث	a third
ثَلَاثَة م ثَلَاث	three

ثَالِث	third
ثَلَاثُون	thirty
ثَلَاثَمِائَة	three hundred
ثَلْج ج ثُلُوج	snow
ثُمَّ	then, afterwards
ثَمَّ	there
ثَمَر ج ثِمَار	fruit
ثَمَن	price
ثَمَانُون	eighty
ثنى	II and IV, *with* على, to praise
ثَانٍ	second
يَوْم الاِثْنَيْن	Monday
ثاب	IV, to reward, requite
ثَوْب ج ثِيَاب	garment
ثَوْر	bull
ثُوم	garlic
جُبَّة	gown
جَبْرَئِيل و جِبْرِيل	Gabriel
جَبَل ج جِبَال	mountain, hill
جَبْهَة	forehead

جَحِيم	hell
جَدَّ i	to be serious, exert oneself; II, to renew, repeat
جِدّ	earnestness, seriousness
جِدًّا	much, extremely
جَدِيد	new, fresh
جِدَار	wall
جدا	IV, to be of use to, to profit, to make a gift
جَذَب i	to draw (a sword), to pull over
جَذْب	dragging, pulling
جذام	*proper name*
مُجَذَّم	suffering from elephantiasis
جَرَّة	jar
جَرُؤَ	to be bold; VIII, to dare
جرب	II, to test, try
تَجْرِبَة	experience
جُرْجَانِيّة	*place-name*
جرد	II, *with double accusative*, to strip (someone) of (something)
جُرَذ	rat, field rat
جُرْزَة	bundle, faggot
جرع	V, to gulp down, drink in gulps

جَرْوٌ ج أَجْرَاء	whelp, young one
جَرَى i	to flow, to go, to happen; IV, to make to flow, to conduct (business), to pay out (salaries or pensions)
مَجْرًى	course, channel
جَارٍ	pension, allowance
جَارِيَة ج جَوَارٍ	girl, slave girl
تَجْزِئَة	division
جَزَّار	butcher
جَزِيرَة ج جَزَائِر	island, peninsula
جَزَع	impatience, grief
جَزُوع	*with* عن, very impatient of
جَزْل	thick (of wood)
جَزَى i	to reward, requite; *with double accusative*, to give (someone something) as a reward; III, *same sense*
جَسَد ج أَجْسَاد	body
جسر	VI, to dare
جِسْر	bridge
جَصّ	gypsum
جَعْد	woolly, curly
جُعُود	woolliness, curliness

مُتَجَعْرِف foolish, stupid

جَعْفَر *proper name*

جَعَل a to make, put; *with following imperfect*, to begin

جَفا o to treat harshly

جَلّ i to be strong, great

جُلّ main part of

جَلِيل great, important, venerable

أَجَلّ *elative of* جليل

جَلَب i o to import, bring in

جَلَبَة confused noise, uproar

جَلَد i جَلْدًا to beat, flog

جَلَد fortitude, firmness

جِلْد skin

تَجَلُّد endurance, hardiness

جَلَس i to sit

جَلِيس ج جُلَسَاء companion, friend

مَجْلِس place of sitting, seat, assembly

جُمْجُمَة ج جَمَاجِم skull

جَمَع a جَمْعًا to connect, unite, join, collect; VIII, to be assembled

جَمْع ج جُمُوع	crowd, gathering, host
جُمْعَة (يَوْمُ ٱلْجُمْعَةِ)	Friday
جَمَاعَة	crowd, multitude, host
جَامِع	cathedral, mosque
جَمِيع	all, the whole of
جَمِيعًا	together
مَجْمَع ج مَجَامِع	*in the plural*, the whole (of something)
جَمَل ج جِمَال	camel
جُمْلَة	sum, whole
جُمْلِيّ	general, generalised
جَمَال	beauty
جَمِيل	beautiful, handsome, fair
جَنَّ o	to be dark (night)
جِنّ ج جِنَّان	the Djinn, Genii
جَنَّة ج جَنَّات و جِنَان	garden, paradise
جَنَان	heart
جَنِين ج أَجِنَّة	embryo, foetus
جَنْب	side
جَانِب ج جَوَانِب	quarter, side, flank (used periphrastically of a person)

جَنُوب	south
جَنَابَة	impurity
جَانِحَة ج جَوَانِح	rib
جِنَاح ج أَجْنِحَة	wing
جُنْد	army, troops
جَنَازَة	bier, corpse
جِنْس ج أَجْنَاس	kind, genus, sort, race
اِبْنَاء الجنس	members of the same species
جَهَد a	to tire (someone), to exert oneself; III, to struggle against, to wage a holy war
جُهْد	fatigue, hardship, exertion, energy
اِجْتِهَاد	exertion
جَاهِل ج جُهَّال	ignorant, foolish
جَهَنَّم	gehenna, hell
جَوّ	atmosphere, air
جاب	IV, to answer, consent, agree; *with accusative and* الى, to accept (an invitation)
إِجَابَة	docility
جَوَاب ج أَجْوِبَة	answer, reply
جاد	IV, to do or speak well
جُود	generosity

جَوَاد generous, a swift horse

أَجْوَد *elative of* جَوَاد

جَيِّد excellent, good, fine

أَجْيَد *elative of* جَيِّد

جَار III, to be close to, to border, to be neighbour to

مُجَاوَرَة *verbal noun* جار III

جَار ج جِيرَان neighbour, one given protection, client

جَوْر injustice, tyranny

جَائِر unjust, tyrannical

جاز o to pass, outpass, to be permissible; III, to outpass, pass through or over; IV, *with accusative and* ب, to pay someone something; X, to consider lawful, right

جَائِز lawful, permissible

جَوَاز passing, *verbal noun*

جَوْف a hollow, inside of something

جال IV, *with* ب, to take around

مَجَال place where one wheels, field

جَاه influence, rank

جَوْهَر ج جَوَاهِر gem, pearl

جَاء i to come to; *with* ب, to bring

جَيْش ج جُيُوش	army
حَبَّ i	to like, love; IV, *same sense*
حُبّ	love, liking
حَبِيب ج أَحِبَّة	beloved, friend
حُبَيْب	*proper name*
أَحَبّ	*elative of* حَبِيب
مَحْبُوب	loved, beloved
مَحَبَّة	love, affection
حَبْر	learned man, doctor (of the Jews)
حَبْرِيَّة	status or rank of doctor (of the Jews)
حَبَسَ i مَحْبَسًا و حَبْسًا	to imprison, confine, detain
حَبْس	prison
حَبْل ج حِبَال	rope
حَبَل	pregnancy, being pregnant
حُبْلَى ج حَبَالَى	pregnant
حَبَا o	to make a gift to
حَتَّى	until
حَثَّ o	I and II, to urge on, to accelerate
مُحَثّ	urgent, speedy
حَجَّ o	to go on a pilgrimage; VIII, to bring proof

حَجّ	pilgrimage
حُجَّة ج حُجَج	proof, argument
ذُو الحِجَّة	the last month of the lunar year
حَجَر ج حِجَارة	a stone
حِجْر	bosom, lap
حُجْرَة ج حُجَر و حُجُرَات	enclosure, chamber
حجم	IV, to draw back, refrain from; VI, to recoil
حدّ	II, to limit, define
حَدّ ج حُدُود	limit, end, border, edge (of a sword blade)
حَدِيد ج حِدَاد	iron
حَدِيد ج حِدَاد	sharp, keen
حَدَث o	to happen (event); II, to relate; IV, to cause, to produce; V, to relate, speak of
حَادِثَة ج حَوَادِث	novelty, occurrence, disaster
حَدِيث	tradition, story
حَذِر a حَذَرًا	to beware of, to be on guard against; II, *with a double accusative*, to warn (someone) against (something); V, *with* من, to beware of
حَاذِق ج حُذَّاق	clever, skilled
حِذَاء	opposite to, over against

حَرّ	heat
حَارّ	hot
حُرّ ج أَحْرَار	free-born, generous
حرب	III, to fight against, make war on
حَرْب ج حُرُوب	war
حَرْبَة	lance
مِحْرَاب	royal chamber, place in a mosque where the imām prays
حرث	II, *with* على, to employ for tilling (a beast)
حَرْث	land prepared for sowing, tillage, tilling
مَحْرَث	tillage
حَرِد a	to be angry, bear rancour
حَرَس o	to guard, watch
حَرْس	guard, watch
حَرَس	guards
حَرَص i	*with* على, to attempt a thing keenly, try hard for
حَرْف ج حُرُوف	letter (of the alphabet)
مُنْحَرِف	oblique, crooked
حَرَق o	to burn a thing; VIII, to be burnt
حَرُك o	to move, travel; II, to move, set in motion; V, to be moved

حَرَكة ج حَرَكات	motion, movement
حَرَم i	to forbid, excommunicate, deprive of; II, to make or consider unlawful, forbidden; VIII, to respect
حِرْمان	privation, deprivation
حَرامِيّ ج حَرامِيَّة	bandit, robber
حَزْور ج حَزاوِرة	boy, youth
حَزْم	resolution, self-confidence
حازِم	resolute
حَزِن a حُزْنا	to be sorry, to grieve; *with* على, to grieve for; IV, to make to grieve
حَزْن	sorrow, grief
حَسّ o	to feel, perceive
حِسّ	sense-perception
حَسَب o	to consider, estimate; III, to settle an account with
حَسَب	amount, quantity, noble birth
حَسَد i	to grudge, envy
حُسام	sword-edge
حَسُن o	to be fair, good; II, to make to seem fair, good; IV, to do (something) well; X, to consider beautiful, fine
حُسْن	beauty

حَسَن	fine, beautiful
أَحْسَن	*elative of* حسن
الحسن و الحسين و حسان	*proper names*
حشا	III, to give
حشى	VI, to keep aloof from
حَاشِ	except
حَصَد o i	to reap
حَصَل o	to remain, to result; *with* على, to get possession of
حصن	II, to protect, guard
حِصَان	stallion
حصا	IV, to count, reckon
حضر o	to be present, to attend; IV, to make to be present, to produce
حَضْرَة	presence
حَطَب	firewood
حَظِي a	*with* ب, to get, to obtain
حَفَر i حَفْرًا	to dig, hollow out
حَافِر ج حَوَافِر	hoof
حفز	VIII, to sit upright
حفصة	*proper name*

حَفِظَ a — to remember, to learn

حِفْظ — memory

حِفَاظ — *verbal noun*, guarding, persevering

حقّ — II, to verify; V, to know for certain, to verify; X, to be due (payment), to deserve

حَقّ — truth, right, due

أَحَقّ — more true; *with* ب, with a greater right to

حَقِيقَة — truth, those to whom one owes protection (i.e. one's household)

حُقُب ج أَحْقَاب — year, any long space of time

حَقَرَ i — to despise; VIII, *same sense*

حَقِير — despicable, mean, vile

الأَحْقَاف — The Sand-dunes (title of a Sūra of the Qur'ān)

حَكَّ o حَكًّا — to rub

حَكَمَ o — to pass sentence, to decree; *with accusative and* ب, to sentence (someone) to (something); *with* على, to pass sentence against; IV, to do a thing well; V, *with* على, to hold sway over; X, to be strongly made, firmly established

حُكْم ج أَحْكَام — wisdom, authority, order, sentence

حَكَم — judge, arbitrator

حِكْمَة — wisdom, philosophy

حِكْمِيّ — belonging to wisdom, philosophical

حَكِيم ج حُكَمَاء	wise
أَحْكَم	*elative of* حكيم
حَكَى i حِكَايَة	to relate, tell
حَلّ o	to untie, unloose, alight at
حَلّ i	to be due (debt)
حُلَّة	robe
مَحَلّ ج مَحَالّ	place
حَلَب	Aleppo
حَلَف i حَلْفا	to swear
حِلْف	confederacy, alliance
حَلْقَة	ring
حِلْم	reasonableness, forbearance, mind
حماة	*place-name*
حُمَمَة	piece of charcoal
حَمَّام ج حَمَّامَات	bath
حَمَامَة	dove
حُمَّى	fever
حُمَّى رِبْعٍ	quartan fever
حَمَأ	black slime, filth
حَمِيء	muddy, slimy

حَمِدَ a	to praise, glorify
حَمْدٌ	praise
حمر	IX, to become red
أَحْمَر م حَمْرَاء	red
حُمْرَة	redness
حِمَار ج حَمِير	ass
حِمْص	*place-name*
حُمْق	dullness, stupidity
أَحْمَق	stupid, foolish
حَمَلَ i حَمْلاً	to carry, to convey, to take responsibility for (a debt); *with the accusative and* على, to make someone carry something, to mount someone on (a beast); *with* على, to charge against; II, to impose something on, to charge someone with; V, to endure; VIII, to endure, bear; *with* من, to go away from
حِمْل ج أَحْمَال	load, burden
حَامِل و حَامِلَة ج حَوَامِل	pregnant
حَمِيَ a	to be hot; VI, to protect
حَمَى i	to protect
حَنِين	yearning, desire
حُنَيْن	*proper name*
حِنَّاء	henna

حُوت	fish
حَاج o	to need; IV, to make to need; VIII, to need, to be in need
حَاجَة ج حَوَائِج	need, thing
أَحْوَج	more needy
حَار o	to be perplexed
حاز	VII, to retire
حَوْزَة	side, seat of a king (used periphrastically of the king himself)
حَيِّز	district
حاط	IV, *with* ب, to surround, encompass; VIII, *same sense*
حَائط ج حِيطَان	wall, garden
حَال o	*with* بَيْن, to intervene between; II, to transform; IV, to transfer
حَال ج أَحْوَال	state, condition
فى الحال	on the instant
حَالَة	circumstance, state
حَوْل	power
حَوْلَ	around
حَوْلَة	ability to change form
حِيلَة	art, cunning, subtle device

حَيِيَ a — to live; II, to greet; IV, to give life to; X, to be ashamed

حَيَاء — sense of shame

حَيَاة — life

حَيّ ج أَحْيَاء — alive, tribe

حَيَّة — snake

حَيَوَان ج حَيَوَانَات — animal, beast

حَيْثُ — where

حار — II, to perplex, confuse; V, to be perplexed, confused

حِيرَة — perplexity

حَانَ i — to be near (time), to be at hand

حِين — time, space of time

خبث — IV, to corrupt, instruct in vice

خبر — IV, *with accusative and* ب *or* عن, to inform someone of; VIII, to test, try, experience

خَبَر ج أَخْبَار — information, news

خَبِير — knowledgeable, capable of receiving knowledge

مَخْبَرَة — experience

خُبْز — bread

خُبْزَة — bread, a loaf of bread

خِبَاء	tent
خَدّ ج خُدُود	cheek
خُدْعَة	deception, treachery
خِدَاع	deceit
خَدَّاع	impostor
خَدَمَ i o	to serve, to tend; II, to make to serve
خَادِم	servant
خِدْمَة	service
خَذَلَ o	to desert, abandon
خَرَّ i o	to fall, to collapse, to prostrate oneself
خَرِبَ a	to be ruined, wasted; II, to destroy, demolish
خَرِب	ruined
خَرَجَ o خُرُوجًا	to go out, leave, depart; IV, to make to go out, to produce, to take out; X, to extract
خَارِج	outside
خَرَاج	tax
مَخْرَج ج مَخَارِج	outlet, way of expression
خَرَز	shells, *collective*; objects arranged in rows (like vertebrae)
خُرَاسَان	Khurāsān, *place-name*
خَرِيف	autumn

خَرَق i o	to tear, damage
خِرْق	generous
خرم	VIII, to cut off (death)
خَزَن o	to store up
خَازِن ج خَزَنَة	treasurer, guard
خِزَانَة	treasury
خَسِيس	vile
أَخَسّ	*elative of* خسيس
خَشَب	wood, timber
خَشَبَة ج خُشْب	a piece of wood
الإِخْشِيدِيَّة	the followers of al-I<u>khsh</u>īd
خُشُونَة	harshness, roughness
خَشِي a	to fear; *with* من, to be afraid of
خَشْيَة	fear
خَصّ o	to concern in particular, be proper to
خَاصّ	particular, peculiar, noble
خَاصّ و عَامّ	high and low, noble and plebeian
اَلخَاصَّة	the chief men, the upper class
خَاصَّةً	especially
خصب	IV, to have in abundance

خَصِب و خَصِيب	fertile
خَصْلَة ج خِصَال	quality
خصم	VI, to dispute with one another
خَصْم	enemy, opponent
خضر خَضَرًا	IX, to become green
أَخْضَر م خَضْرَاء	green
خُضْرَة	green colour
خَضَع a	to obey, submit to
خُضُوع	submissiveness, obedience
خطّ	VIII, to trace the boundaries of, to survey
خَطّ ج خُطُوط	line
خطأ	IV, to be wrong, make a mistake
خَطَب o	to ask in marriage; III, to talk to, converse with
خَطْب	thing, affair
خَاطِب ج خُطَّاب	asking in marriage
خِطَاب	*verbal noun* خطب III
خَطَر i o	*with* ب, to occur to (the mind)
خَطَر ج أَخْطَار	danger
خَطَر ج خِطَار	nobility, rank

خِطَام	rein, bridle
خفّ	II, to lighten, alleviate, thin
خَفَق i o	to blow (wind)
خَفَى i	to conceal
خَفِى a	to be concealed; VIII, to conceal oneself
خَفِىّ	hidden, secret
خلّ	V, *with the accusative or* ب, to penetrate into
خِلَال	between
فى خِلَال	in between
خَلِيل	friend, true friend
خلد	II, to make eternal, immortal; *with double accusative*, to give (someone something) in perpetuity
خُلْد و خُلُود	eternity
خَالِد	*proper name*
خَلَص o	to be saved from; II, to free, save; V, *with* من, to be saved, freed from; X, to get (something) back, to recover (something)
خَلَط i خَلْطًا	to mix; III, to mix, join with
مُخَالَطَة	*verbal noun* خلط III
خَلَع a خَلْعًا	to strip off (clothes); *with* على, to give a robe of honour to
خِلْعَة ج خِلَع	robe of honour

خَلَفَ o	*with* عن, to remain behind; II, to leave to, to bequeath; III, to affect (someone) contrarily, to disobey, oppose; *with* الى, to go to in the absence of (someone); VIII, to be different; X, to leave in charge, to appoint as a successor
خَلْفَ	behind, back, afterwards
خِلْفَة	disagreement, difference
خَلِيفَة ج خُلَفَاء	caliph, lieutenant
خَلَقَ o	to create
خَلْق	people, creatures, creation
خُلْق ج أَخْلَاق	character, characteristic, nature, habits
خَلِيق	worthy of, able to
خَلِيقَة ج خَلَائِق	created things, creatures (men and beasts)
خَلَا o	to be vacant, empty; *with* عن, to go apart from; to elapse (time); II, to let go, release, to leave alone
خُلُوّ	emptiness
خَمَدَ o خُمُودًا	to die away, subside
خَمْسَة م خَمْس	five
خَمْسُون	fifty
خَامِس	fifth
خُمُول	obscurity, lack of fame
خِنْزِير ج خَنَازِير	pig

خَنَق o	to strangle
خوارزم	*place-name*
خاض	II, *with accusative and* ب, to mix (something) with
خَاف a	to fear; *with accusative and* على, to fear (someone) in respect of (something); V, to fear
خَوْف و مَخَافَة	fear
خَام	raw silk, calico
خَان	inn, caravanseray
الخيتعور	*proper name*
خار	VIII, to choose; X, to seek favour from (God)
خَيْر	goodness, good; *also used in an elative sense*
خال	II, to make to suppose, to move suspicion; V, to fancy, imagine
خَيْل	horses, horsemen, *collective*
خَيَّال	horseman
دَأَب a دُؤُوبًا	to work steadily at, strive steadily
دَأْب	work, affair
دَابَّة ج دَوَابّ	beast of burden, animal for riding
دِيبَاج	brocade
دبر	II, to manage well, organise; IV, to set (of stars, etc.), to retreat, go back; X, to track, to follow at the back of

دَجَّال antichrist

دَخَل o to enter, go in, intrude; III, to enter, to influence; IV, to make to enter, bring in

دَاخِل inside

دُخَان smoke

دُرّ pearls, *collective*

دُرَّة ج دُرَر a pearl

دَرّ flow of milk, flow of speech, eloquence

دِرَّة whip, scourge

دربندشروان *place-name*

دَرَجَة step, degree, stage

دِرْع breast-plate, mail coat

درك IV, to overtake, obtain, reach; X, to rectify, remedy

دِرْهَم ج دَرَاهِم dirham (silver coin)

دَرَى i to know; III, to delude, act deceitfully towards, to flatter

دِعَامَة ج دَعَائِم pillar

دَعَا o دُعَاء to call, to invite, to pray; *with* ب, to summon (someone); *with* ب *and* على/ل, to invoke for/against; X, to summon

دَعْوَة ج دَوَاعِي call, prayer

دَعْوَى	claim
دَاعِيَة ج دَوَاعٍ	motive, inducement
مُدَّعًى	what is claimed, postulate
دَفّ ج دُفُوف	drum, tambourine
دَفَع a دَفْعًا	to ward off; *with accusative and* ل, to deliver up a thing to; to compel, lead on to; III, to put off, repel; VII, to be propelled, made to move
دَفْعَة	a time
مُدَافَعَة	*verbal noun* دفع III
دَفَن i دَفْنًا	to bury
دَقّ o	to pound, beat; II, to examine carefully
دَقّ i	to be thin, small
دَقِيقَة ج دَقَائِق	minutia
مُسْتَدِقّ	narrow (pedestal)
دُكَّان ج دَكَاكِين	shop
دَلّ o	to show, indicate; *with the accusative and* ب, to indicate (something) to (someone); *with the accusative and* على, to direct (someone) to (something); IV, to act boldly
دَلِيل	indication
دِلَالَة ج دَلَائِل	sign, proof, indication
دمشق	Damascus

دِمَاغ ج أَدْمِغَة	brain, cranium
دَم ج دِمَاء	blood
دمياط	Damietta
دنحا	*proper name*
دِينَار ج دَنَانِير	dīnār (denarius), gold coin
دَنَا o	to come near to; *with* من, to be near, to draw near; III, to approach
أَدْنَوْن م دُنْيَا	nearer, baser, lower
اَلدُّنْيَا	the world, the present world
دَهْر	time
دَاهِيَة ج دَوَاهٍ	calamity
دُود	worms, *collective*; a worm
دَار o	to circle, turn, revolve, elapse (of time); IV, to make to revolve; X, to be circular
دَار ج دِيَار	house
دَوْر	circle, circumference
دَيْر	monastery
دَائِرَة	circle
دَام o	to continue
دَائِمًا	continuously
دَوْلَة ج دُوَل	dynasty, government, state

دُونَ	on the near side of, beneath, below, without
دوى	VI, to treat oneself medically
دَوَاء ج أَدْوِيَة	medicine
دَوَاة	inkstand
دَان i	to judge, to requite
دَيْن ج دُيُون	debt
دِين	religion
دَائِن ج دُيَّان	debtor, creditor
دِيَانَة	religion, worship
ديوجانس	Diogenes
ذا	this, that
ذاك و ذلك م تِلْك	that
ذُؤَابَة	forelock, locks (of hair)
ذَبّ o	to ward off; *with* عن, to protect
ذَبَح a	to sacrifice, kill, slaughter
ذَبِيحَة	sacrifice, victim
مَذْبَح	altar, place of sacrifice
ذخر	VIII, to store up, put in store
ذُرِّيَّة	offspring
ذِرَاع ج أَذْرُع	cubit

ذُعِر	to be frightened
ذَكَر o	to mention, record, remember; II, to remind (someone) of (something); V, to remember
ذِكْر	mention, reputation
ذَكَر ج ذُكُور	male
ذِكْرَى	memory, remembrance
تَذَكُّر	remembrance, remembering
ذَكَا o	to be hot, to blaze
ذلّ	IV, to humble, abase
ذَمّ o	to blame
ذَمّ	blame
ذِمَام ج أَذِمَّة	due, right
ذَنْب ج ذُنُوب	fault, sin
ذَنَب	tail
ذَهَب a	to go out, go away; II, to gild
ذَهَب	gold
مَذْهَب	course of action or opinion, opinion, belief
ذهل	*proper name*
ذُو م ذَات	possessor of
ذُو قَرَابَة	relation, relative

ذات	essence
ذَاتَ يَوْمٍ	one day
مِذْوَد	manger
ذَاق o	to taste
ذَيْل	tail
رَأْس ج رُؤُوس	head
رَئِيس ج رُؤَسَاء	chief, leader
رَأَى يَرَى	to see, consider, think, think fit; IV, to show
رَأْى ج آرَاء	opinion, idea, skill, advice
رِئَاء	hypocrisy
رَبّ ج أَرْبَاب	lord, master, owner
رُبَّما	often, perhaps
ربح	IV, *with a double accusative*, to give a profit to
رَبَض i	to lie down, crouch (of beasts)
رِبَاط	a frontier-station
رُبْع	one-fourth
حُمَّى رِبْع	quartan fever
رَابِع	fourth
رَبِيع	spring
ربيعة	*proper name*

أَرْبَعَة م أَرْبَع four

أَرْبَعُون forty

مُرَبَّع four sided, square

مَرْتَبَة ج مَرَاتِب rank, position

رَجَز Radjaz, *name of a poetic metre*

رَجَع i رُجُوعًا to return, to come back, to send back; III, to return to; X, to repeat the formula: إِنَّا لِلّٰه و إِنَّا إِليه رَاجِعُون

مُرَاجَعة *verbal noun* رجع III

رجل V, to go on foot

رَجُل ج رِجَال man

رِجْل ج أَرْجُل foot

رَاجِل ج رَجَّالَة infantry, *collective*; foot-soldier

رَجَا o to hope; VIII, *same sense*

رَجَاء hope

رحب II, to welcome

رَحَل a to travel, depart; VIII, to move, depart from

رَحِيل journey, travel

رَحِم a to have mercy on; V, *with* على, to show pity for, to ask God's mercy for

رَحْمَان compassionate

رَحِيم	merciful
أَرْحَم	*elative of* رَحِيم
رَحْمَة	mercy
رَحًى ج رُحِيّ	mill
رُخّ	castle (in chess)
رخص	II, to lower the price of
رُخَام	marble
رَخَا o	IV, to loosen, to ease, to slacken (reins); VI, to be easy, free, idle, slackened, extended
رَدّ o رَدًّا و مَرَدًّا	to send back, return, refute, reject
رَدِىء	bad, wicked
ردى	IV, to destroy
رِدَاء	cloak
رَزَق o	to provide with sustenance, give
رِزْق ج أَرْزَاق	means of livelihood, provision (from God), allowance (of soldiers)
رسل	III, to send a message or letter to; *with accusative and* فى, to correspond with (someone) on (some matter); IV, to dispatch, send, send away
رِسَالَة	message, letter
رَسُول ج رُسُل	messenger, apostle
رَسْم ج رُسُوم	trace, mark, custom, sketch

رسا o	IV, to anchor
مَرْسًى	harbour
رَشّ o	to sprinkle
الرّشيد	Harun al-Rashīd
رَصَد o	to prepare a spell, to observe (the stars)
رَصَد ج أَرْصاد	spell, talisman
رَصْد	astronomical observation
رصع	II, to inlay, set with gems
رَضِي a رُضًى	*with* عن, ب *or* أن, to be satisfied with, to consent to; IV, to please
رِضَاء	approval, consent
رَطْب ج رِطَاب	moist, delicate, tender
أَرْطَب	*elative of* رطب
رُطُوبة	moisture, dampness
رَطْل	pound (weight)
رطن	III, to speak to someone in a foreign language
رَعَب a	to terrify
رَعْن ج رِعَان	mountain peak
رعى	III, to be concerned about, to be mindful of; VIII, to graze
رِعْى	pasturage, pasture

رَاعٍ	herdsman
رَعِيَّة ج رَعَايا	subjects (of a king)
رَغِبَ a	to wish, long for, interest oneself in; *with* عن, to turn away from; II, to induce
رَاغِب فى	desirous of
أَرْغَب	*elative of* راغب
رَغْبَة	wish, desire, covetousness
رَغَد	ease (of life), luxuriance
رَغَدًا	abundantly, amply, at ease
أَرْغَد	more easy, more luxuriant
رَغِيف	loaf (of bread)
رَفَضَ i رَفْضًا	to avoid, shun, cast off
رَفَعَ a	to raise, lift, take away; VIII, to be high, to be raised, removed, to be advanced (day)
رَفِيع	high
اِرْتِفَاع	height, advancement
مُرْتَفِق	firm, steadfast
رَقَّ i	to be attenuated
الرقة	*place-name*
رَقِيق	thin, delicate, fine
رقب	V, to await

رَقَبَة ج رِقاب	neck
رَقَد o	to sleep, to lie down
أَرْقَش م رَقْشاء	spotted, piebald
رَقَع a	to patch
رُقْعَة ج رِقاع	patch
مُرَقَّعَة	patched cloak
رَكِب a رُكُوبًا	to mount, ride, journey, sail; II, to combine, compose; X, to summon to ride
رُكْبَة ج رُكَب	knee
رَاكِب ج رُكَّاب	rider, sailor
رِكاب	riding beast, camel for riding; *collective and singular*
مَرْكَب ج مَرَاكِب	boat, ship
مُرَكَّب	compound, compounded
رَكَض o	to ride, to run
رَكْعَة	prostration in prayer, bowing, genuflection
رَكَل o رَكْلًا	to kick
رِكْوَة	leather bag
رُمْح	spear
رَماد	ashes
رَمْضاء	burning heat

رَمْل	sand
أَرْمَل م أَرْمَلَة ج أَرَامِل	destitute, needy
رَمَى i رَمْيًا	*with the accusative or* ب, to throw, to shoot at; *with the accusative and* ب, to throw, hurl (something) at (someone), shoot at (someone) with
رَامٍ ج رُمَاة	archer
رَنَا o	to look with joy
رَهِب a	to fear; II, to inspire fear
رَهْبَة	fear
رَهْج	dust
رَهِق a	to approach, overtake
رِهَان	*verbal noun,* racing for a wager
راح	IV, to give rest to; X, to rest
رُوح	spirit, soul, breath
رِيح ج رِيَاح و أَرْوَاح	wind, scent
رَاحة	rest, quiet
رَائِحَة	scent, odour
مِرْوَحَة	fan
راد	IV, to will, desire, to seek, to make for (a place)
إِرَادَة	will, desire

رَاعَ o — to frighten

رَامَ o — to desire

الرُّوم — the Byzantine Greeks

رَوَى i — to recite, relate

رِوَايَة — recitation, relation, account

الرَّيّ — *place-name*

رَيَّة — quantity of drink

رَيْب — doubt

رِيف ج أَرْيَاف — country, fertile land

رِينِى — Irene

رِيق — spittle

زَبُور ج زُبُور — book, psalms of David

زُبَير — *proper name*

مَزْبَلة — dung heap

زَبَانِيَة — ministers of divine punishment

زَجَّ o — *with* ب, to toss, throw

زحم — III, to compete with, to press

زُخْرُف — gold

زَرْع — standing corn

زَرَّاع — sower, husbandman

زرى	VIII, to undervalue, despise
زَعْزَعَ	II, to be moved, shaken
زَعَارَة	malevolence
زَعَمَ o	to assert, think, relate
مَزْعَم	assertion
زَفُوف	swift
زُقَاق	lane, strait
مَزَلَّة	place where one slips, slippery ground
زَلْف	degree, rank
زِمَام	rein, halter
زمع	IV, to intend, purpose
زَمَان	time
زَمِين ج زَمْنَى	cripple, paralytic
زِنْدِيق	Magian, Manichean, atheist
زُهْد	abstinence, asceticism
زَاهِد	abstemious, ascetic
أَزْهَد	*elative of* زاهد
زُهَادَة	asceticism
زُهَير	*proper name*
زَهَا o	to shine, to be bright

زاج	II, to marry someone to; V, *with* ب, to marry (someone)
زَوْج ج أَزْوَاج	husband, mate, one of a pair
زَوْجَة	wife
زَاد	travelling provisions
زُور	lie, calumny
زَوْرَق	small boat, skiff
زَال o	to cease; II, to make to cease; IV, to make to cease; *with the accusative and* عن, to remove from
زِىّ	dress, appearance
زاح	IV, to remove
زَاد i	to increase, exceed, to add; *with* على, to add to; II, to make to increase; VIII, to be increased
زيد و زياد و زيادة	*proper names*
زِيَادَة	increase, augmentation
أَزْيَد	more, greater
زَائِف	spurious
زان	II, to adorn, to make to seem good
زَيْتُون	olive, *collective*
سَأَل a مَسْأَلَة	to ask; III, to ask someone about something

سَئِمَ a	to feel loathing, disgust, at
سَبّ	abuse, reviling, insult
سَبَب ج أَسْبَاب	cause, reason
سبتة	Ceuta, *place-name*
سَبَحَ a	to swim; II, to glorify (God)
سُبْحَان	glory be to (God)
سَبُع ج سِبَاع	beast of prey, lion
سَبْعَة م سَبْع	seven
سَابِع	seventh
سَبْعُون	seventy
سَبَقَ i o سَبْقًا	to precede, outstrip; III, to race against, outstrip; VI, to seek to outstrip one another
سَابِق	preceding, previous
سَبِيل	way, path
أُسْتَاذ	master, teacher
سِتَّة م سِتّ	six
سِتُّون	sixty
سِتَّمائَة	six hundred
سَتَرَ o	to veil, cover; VIII, to be veiled, to conceal oneself
سِتْر	covering, veil

سَجَدَ o	to bow down (in worship), to prostrate oneself, to worship
سُجُود	worship, prostration
مَسْجِد ج مَسَاجِد	mosque
سِجِسْتَان	*place-name*
سَجْل	bucket of water
سِجِلّ	scroll of writing
سَحَاب	clouds, *collective*
سَحَر	dawn, daybreak
سَاحِل ج سَوَاحِل	shore, coast
سَخَر	II, to force to work
سُخْرِيَّة	deceit, mockery
سخط	IV, to anger
سَخَط	anger
سَخِيف	thin, weak
سَخَاء	generosity, bounty
سَدَّ o	to close, stop, block; II, to guide correctly
سَادِس	sixth
سِرّ	a secret
سُرُور	gladness, joy

سَرِير	couch, throne
سَرْج ج سُرُوج	saddle
سِرَاج	lamp
سَرَحَ a	to go (to pasture); II, to free
سَرُعَ o	to hasten, move quickly; IV, to be quick; V, to hasten to
سُرْعَة	speed
سَرِيع	speedy
أَسْرَع	*elative of* سريع
سرف	IV, to go to excess in
سَرَف	extravagance
سَرْمَد	perpetual, eternal
سطر	II, to compose a history, write down a story
سَطَا o	to attack, to make an assault
سعد	*proper name*
سَعَادَة	felicity
سَعِيد	happy, fortunate
أَسْعَد	*elative of* سَعِيد
سَعَى a	to go; *with* ب, to slander (someone)
سَفْح	foot of a hill, or its lower slopes

سَفَكَ i سَفْكًا to shed (blood)

سُفْل lowest part of

أَسْفَل lower

سَفِينَة ج سُفُن ship

سقراط Socrates

سَقَطَ o سُقُوطًا to fall; IV, to cause to fall, remove

سَقَط rubbish

سُقْع country

سَقَى i to water, to give to drink

سَاقِيَة water wheel

سَكَتَ o to be silent, break off speech

سَكَنَ o to live in, to be quiet, still; II, *with* مِن, to calm, quieten; IV, to cause to live in

سُكُون (إِلَى) trusting to, *verbal noun*

سَكَن و مَسْكِن ج مَسَاكِن place where one lives, dwelling, house

سَلَّ o to draw (a sword)

سَالِح ج سُلَّاح man-at-arms

سِلَاح ج أَسْلِحَة weapon, sword

سِلْسِلَة ج سَلَاسِل chain

سَلَخَ o a to skin, excoriate

سلط II, *with the accusative and* على, to empower (someone) over (something)

سُلْطَان ruler, sultan

مَسْلَك ج مَسَالِك way, path

سَلِم a to be safe; II, to give peace to, to greet, to pronounce the salutation in prayer; IV, to give up, betray, keep safe, to become a Moslem; X, to surrender oneself

سَلَام peace, greeting

إِسْلَام Islam

سَلِمَة tender (woman)

سليمان Solomon

مُسْلِم ج مُسْلِمُون Moslem

سَلَا o to console oneself; II, to console someone, to dispel (care, etc.); V, to be consoled

سَلْو و سُلُوّ consolation

سَمّ poison

مَسْمُوم poisoned

سَمُّور sable

سمرقند Samarkand

سَمِع a to hear, to listen to; VI, *with* ب, to know (something) by hearsay

سَمْع ج أَسْمَاع hearing, ear

سما II, to name, mention; V, to be called, named

سَمَاء ج سَمَاوَات sky, heaven

سِنّ age

سُنَّة law, custom

سِنَان ج أَسِنَّة spearhead

مَسْنُون putrid, stinking

سنجار *place-name*

سند IV, *with accusative and* الى, to prop (something) against

سَنَة ج سِنُون year

سَهِر a to be wakeful, pass the night awake

سَهُل o to be easy; II, to make easy, facilitate, level

سَهْل easy

أَسْهَل *elative of* سهل

سَهْم ج سِهَام arrow

سَهْم ج أَسْهُم lot, portion

سَاء o to be bad; IV, to corrupt, to do evil

سُوء و سَوَاء evil

سَيِّئ bad, evil

أَسْوَأ worse

ساد	IX, to become black
أَسْوَد م سَوْدَاء	black
سَوَاد	blackness
سَيِّد	lord, master
سَيِّدَة	lady
سُورَة	Sūra, chapter of the Qur'ān
سِيَاسَة	authority, government
سَوْط	lash
سَاعَة	period of time, hour
السَّاعَةَ	immediately
سَاق o	to drive, to bring to
سَاق	leg, shank
قَام عَلَى سَاق	it became fierce, blazed up (war); it rose up, became advanced (dawn)
سَوَّاق	herdsman, cattle driver
سُوق ج أَسْوَاق	market
سُوقَة	subjects of a king, common people
سام	III, to bargain with
سونج	*proper name*
سوى	VIII, to be level, even

سِوَى	except, besides, other than
سَوَاء	equal, alike, middle part
سِيّ — لاسِيَّمَا	especially
سَاحَ i	to travel, wander
سَائِح	wanderer
سَارَ i	to go, travel; II, to cause to go, dispatch; III, to go beside, to accompany
سَيْر	journey
سَائِر	remainder, rest
سِيرَة	course of action or life, biography
مَسِير و مَسِيرَة	distance, length, journey
سَيْف ج سُيُوف	sword
سَالَ i	to flow
شَأْم و شَام	Syria
شَأْمِيّ و شَامِيّ	Syrian
شَأْن ج شُؤُون	affair, state, condition
شَابّ ج شَبَاب	young man
شبع	IV, to satisfy
شبه	III and IV, to resemble
شِبْه ج أَشْبَاه	like, likeness, similitude

شبيه	alike, like
شَتَم o i	to revile, abuse
شِتَاء	rain, winter
شجر	VI, to quarrel, contend with one another
شَجَر	trees, *collective*
شُجَاع ج شُجْعَان	brave, bold
أَشْجَع	*elative of* شُجَاع
شَخَص a	to appear
شَخْص ج أَشْخَاص	person, individual
شدّ	II, to make hard, severe, intense; VIII, to be violent, to exert oneself; *with* على, to be hard upon
شَدِيد	strong, firm, violent
أَشَدّ	*elative of* شَدِيد
شِدَّة	hardness, vehemence, intensity, violence, force
شَرّ ج شُرُور	evil, *noun*
شَرّ ج أَشْرَار	evil, *adjective*
أَشَرّ	*elative of* شرّ
شَرِب a شُرْبًا	to drink
شَرَاب ج أَشْرِبَة	drink
شَرَح a	to open, disclose, explain

شَرِيد	stray, runaway
شَرَع a	*with* فى, to begin (something)
شَرِيعَة	Moslem legal code, law
شرف	IV, to be high, to climb up; *with* على, to be at the point of, to overlook
شَرَف	nobility
شَرِيف ج أَشْرَاف	noble
شرق	IV, to shine
شَرْقِيّ	eastern
مُشْرِق	bright, shining
مَشْرِق ج مَشَارِق	rising place of the sun, east
مَشْرَقَة	sunny place
شَرِك a	*with* فى, to share in; III, to share with; VIII, to be joined in partnership
شرى	VIII, to buy
شَطّ	river bank
شَاطِىء	river bank
شَاطِر	trickster, swindler, deceitful
شَيْطَان ج شَيَاطِين	Devil, Satan
شَظَف	hardship, difficulty
شَعَاع	splitting, dispersing

طَارَ شَعَاعًا	to become unsettled (through fear)
شَعْشَعَانِيّ	shining, bright
شعر	IV, *with accusative and* ب, to recite (poetry) to (someone)
شِعْر ج أَشْعَار	poetry, poem, verse
شَعْر	hair
شَاعِر ج شُعَرَاء	poet
شَعِير	barley
الشِّعْرَى	Sirius, the dog star
شَغْب	mischief, disturbance
شَغَل a	*with the accusative and* عن, to distract someone from; VIII, to be occupied in, to work; *with* عن, to be distracted from
شُغْل	affair, business
شفّ	X, to scrutinise, see to the bottom of
شُفُوف	diaphanous material
شَافِع	intercessor
شَفَاعَة	intercession
شفق	IV, *with* من, to guard against; VIII, to be anxious
شفه	III, to talk face to face with
شَفَة	lip

شَقَّ o	to slit, split, cut; VIII, to derive (a word) from
شِقَّة ج شِقَاق	roll of material
شَقِيَ a	*with* ب, to labour hard at
شَقَاء	wretchedness, hardship, misery
شَكَّ o	to have doubts, to be doubtful
شَكّ ج شُكُوك	doubt
شَكَرَ o شُكْرًا	to thank, be grateful for
شكل	IV, to be difficult, entangled (affair)
شَكْل ج أَشْكَال	shape, form, likeness, like
شَمَّ a o	to smell
شَامِخ	lofty, haughty
شَمْس	sun
شَامِس	sunny
شمل	VIII, to include, comprise
شِمَال	north
شَمَالِيّ	northern
شِهَاب	meteor
شَهِدَ a	to bear witness, give evidence; V, to bear witness to faith in God (by saying "There is no God but God")

شهر	IV, to make obvious, public; VIII, to be made obvious, to be famous, celebrated
شَهْر ج أَشْهُر	month
مَشْهُور	famous
أَشْهَر	more famous, distinguished
شَهَق a	to be tall, lofty
شَهْم	vigorous, energetic
شها	VIII, to desire
شَهْوَة	desire, lust
شار	III, to consult; IV, to point (with the finger)
مَشْوَرَة	advice, consultation
شَاوِيش ج شَاوِشِيَّة	sergeant
شاق	VIII, to desire, long for
شَاء a	to wish
مَشِيئَة	will
شَيْء ج أَشْيَاء	thing
أَشْيَب	white haired
شَيْخ	old man, sheikh
شاد	II, to build
شيزر	*place-name*

شاط	X, to be hotly angry
شَاعَ i	to be divulged, diffused
صَبَّ o	to pour
صَبَأَ a	to change one's religion
صبح	IV, to be, do, or come, in the morning, to become; *with a following imperfect*, to begin
صُبْح و صَبَاح	morning, dawn
مِصْبَاح	lamp
صَبَر i	to be patient; *with* على, to endure; V, to show or pretend patience
صَبْر	patience, endurance
صَبْر	aloes
صَبُور	steadfast, very enduring
تَصَبُّر	patience
مُصْطَبِر	endurance
أُصْبُع ج أَصَابِع	finger
صبا	IV, to charm, beguile
صَبِيّ ج صِبْيَان	boy, youth
صَحَّ i	to be true, sound; II, to show (something) to be sound
صِحَّة	health, accuracy

صَحِيح	sound, true
أَصَحّ	*elative of* صَحِيح
صَحِبَ a	to be the companion of, to accompany; VIII, to keep company together
صَاحِب ج أَصْحَاب	friend, companion, owner, master
صَحْرَاء	desert
صَحِيفَة ج صُحُف	sheet of paper, page of a book
صخر	*proper name*
صَخْرَة	rock
صَدْر ج صُدُور	breast, chest
صدف	III, to meet, encounter
صَدَقَ o	to speak the truth, be truthful; *with the accusative*, to speak the truth to (someone); II, to believe; V, to give alms
صِدْق	truth
صَدِيق ج أَصْدِقَاء	friend
صَدًى	echo
صرح	II, to be clear, evident
صَرَفَ i	to dismiss; II, *with the accusative and* في, to give (someone) control over; VII, to turn away, depart
صَرْف ج صُرُوف	misfortune, vicissitude

تَصْرِيف ج تَصَارِيف	conjugation, declension (in grammar)
صَعْب	difficult, refractory (beast)
صَعِد a	to climb, to climb into
صُعْلُوك ج صَعَالِيك	beggar
صِغَر	smallness
صَغِير ج صِغَار	small, young
صَفَح a	*with* عن, to turn from, to forgive
صفر	IX, to become yellow
صَفَق o	to clap; II, to clap the hands
صفا	II, to purify
صَفَا	a district of Mecca
صُقْع	country
صَقَل o	to polish
صَلِب a	to be or to become hard
صَلُح o	to suit, fit; IV, to make peace, to set aright, put in order
صَالِح	pious, good, sound
صالح	*proper name*
مَصْلَحَة ج مَصَالِح	advantage, good
صلا	II, to pray; *with* على, to bless

صَلَاة و صَلَوة	prayer
مُصَلًّى	place of prayer, chapel
صَنَع a صُنْعًا	to make, do; VIII, to do good to
صَانِع	artisan, craftsman
صَنِيع	work, deed
صِنَاعَة	art, craft
صنف	II, to compose, write (a book)
صِنْف ج صُنُوف	species, sort, class
تَصْنِيف ج تَصَانِيف	composition, literary work
صَنَم ج أَصْنَام	idol
صاب	IV, to overtake, come upon, to obtain, take, to be right
صَوَاب	right, correct, right course
مُصِيبَة ج مَصَائِب	disaster, misfortune
صات	II, to make a sound, to cry out
صَوْت ج أَصْوَات	voice, cry, sound
صار	II, to draw, paint, shape; V, to portray, to assume a shape
صُورَة ج صُوَر	picture, image, shape, form
مُصَوِّر	painter
صُوف	wool

صَام o	to fast
صان	II, to enclose, to guard
مَصُون	pure
صَاح i	to cry out
صِياح	cry
صَاد i صَيْدًا	to hunt
صَيَّاد	hunter
صَار i	to become, to go; *with a following imperfect*, to begin; II, to make, to make (something) become (such and such); V, to assume a shape
مَصِير	result, happening, *verbal noun*
صَيْف	summer
الصِّين	China
ضَابِط	strong, firm
ضَجِر a	to be annoyed, disgusted with
ضَجَر	annoyance, disgust
ضَحِك a	to laugh; V, *with* على, to mock at
اِضْمَحَلّ	to disappear, clear away, dwindle
ضَحَا o	to be exposed to the sun; IV, to be in the forenoon
ضِدّ ج أَضْدَاد	opposite, contrary

ضَرَّ o	to injure; IV, *same sense*; VIII, to force, compel
ضَرّ	hardship
ضَرَر ج أَضْرار	injury, harm
مَضَرَّة	loss, damage
ضَرَبَ i ضَرْبًا	to strike, hit, sound (a trumpet, etc.); to pitch (a tent); VIII, to be disturbed, agitated
ضَرْبَة	blow, stroke
ضِراب	fighting, striking, *verbal noun*
ضِرْس ج أَضْراس	molar, tooth
ضرع	V, *with* الى, to implore, to ask humbly
ضرم	VIII, to be kindled
ضِرام	fuel
ضَعَفَ o	to be or to become feeble, weak; II, to double
ضُعْف	weakness
ضَعِيف ج ضُعَفاء	weak
إِضْعاف	double, multiple
ضَلّ	II, to lead astray
ضالّ ج ضُلَّال	misled, astray
ضَمَّ o	to grasp; VII, *with* الى, to be joined to
ضَمِير	conscience, inner thought

ضمن	V, to include, contain
ضَوْء	light, radiance
ضِيَاء	brightness, light
ضُوَازَة	fragment of a tooth-pick
ضاع	IV, to make to perish, to squander
ضَيْعَة ج ضِيَاع	village, estate
ضاف	IV, to add to, to make to adjoin
ضَيْف	guest
ضَاق i	to be narrow; II, to punish severely; IV, to reduce to poverty, to straiten
ضِيق	narrowness
ضَيِّق	narrow
الطائف	*place-name*
طبّ	V, to practice medicine
طَبِيب ج أَطِبَّاء	doctor
طَبَخ o	to cook
طبع	VII, to be implanted by nature
طَبْع ج طِبَاع	nature, temper
طِبَاع	natural disposition, nature
طَبِيعَة	nature

طَبِيعِىّ	natural
مَطْبُوع	natural
تَطَبُّعِىّ	assumed as an acquired habit
طبق	III, to be fitted to, to correspond to; IV, *with* على, to cover, shut
طَبَق ج أَطْبَاق	layer
طَبَقَة	class, series
مَطْبَق	prison
طَحْن	grinding, milling (of wheat), *verbal noun*
طَرَح a	to throw, to cast away, throw down, lay down
طرح نفسه	to despair
طَرَد o طَرْدًا	to drive away; VIII, to prosper, succeed
طَرَف ج أَطْرَاف	edge, side, part
طَرَق o طُرُوقًا	to come to (especially by night), to knock on (a door)
طَارِق ج طُرَّاق	night-comer, one who knocks at the door
طَرِيق ج طُرُق و طُرُقَات	way, road, path; *common gender*
مِطْرَقَة	hammer
طَسْت	bowl, basin
طعم	IV, to feed

طَعَام food

طَعَن a to thrust at, to spear; *with* على, to attack, criticise

طِعَان thrusting with a lance, *verbal noun*

طغج *proper name*

طفىء IV, to extinguish

طَفَل o to be near to setting (sun)

طِفْل ج أَطْفَال baby

طُفَيـل ج أُطَيْفال *diminutive of* طفل

طليطلة Toledo

طَلَب o طَلَبًا to seek; V, *same sense*

طِلْبَة object sought for

طَلْحة *proper name*

طِلَسْم talisman, spell

طَلَع o to rise (of the sun), to climb (a hill); *with* الى, to go towards; IV, *with the accusative and* على, to inform (someone) of (something), to acquaint him of it; VIII, *with* الى, to look at, examine

طُلُوع rising

مَطْلَع place of rising, look-out

طَلِيعَة ج طَلَائِع vanguard, outposts

طلق IV, to set free; *with* ل, to permit; VII, to go out, go away

طَلْق	parturition
اِنْطِلَاق	departure, removal, motion
طَمَس i	to destroy, to blot out (light), to be dulled, lose brightness
طُمَأْنِينَة	quietness, trust, reliance
طنب	IV, *with* فى, to speak at length about
طَهَر o	to be pure, clean; II, to purify
طَاوُوس	peacock
طاع	IV, to obey; X, to be able to
طَاعَة	obedience
مُسْتَطَاع	something possible
طَاف o طَوَافًا	to go around
طُوفَان	flood
طَائِفَة ج طَوَائِف	party (of men), band, nation
طَال o	to be long, grow long; IV, to lengthen, make long; VI, to be protracted
طُول	length
طَوِيل ج طِوَال	long, tall
أَطْوَل	*elative of* طويل
طَائِل	profit, wealth, advantage
طَوَى i طَيًّا	to fold, roll up

طَاب i	to be pleasant, good
طَاب نَفْسًا	to be in good heart
طَيِّب	good, sweet, pleasant
طَار i	to fly (of a bird), to fly up; X, to spread (*intransitive*)
طَائِر و طَيْر ج طُيُور	bird
طَيْلَسَان	mantle
طِين و طِينَة	clay
ظرف	X, to consider admirable, fine
ظَعَن a	to travel
ظَعِينَة ج أَظْعَان	camel litter, woman travelling in a litter
ظَفِر a	*with* ب, to get, obtain; II, to make victorious
مُظَفَّر	victorious
ظَلّ a	to remain; V, to be in the shade; X, to seek shade
ظِلّ	shadow, shade
ظِلْف ج أَظْلَاف	hoof
ظَلَم i	to wrong, injure
ظُلْم	oppression, wrongdoing
ظَالِم	oppressor, wrongdoer, tyrant

ظُلْمَة	darkness
ظَنّ o	to think
ظَنّ	opinion
ظَهَر a ظُهُورًا	to appear to have the upper hand; *with* الى, to go out into; IV, to show, display, proclaim, produce
ظَهْر	back
ظُهْر	noon
ظَاهِر	what is obvious, external, outside
عَبَاءَة	woollen cloak
عَبَد o	to worship
عَبْد ج عِبَاد	servant, slave
عِبَادَة	servitude (to God), worship
عَبَر o عُبُورًا	to cross, pass over; II, to make to cross, to ferry across; VIII, to consider, observe, have regard to
مُعْتَبَر	noteworthy, considerable
عَبّاس	*proper name*
عبط	VIII, to kill someone in the prime of life
عَبِيط	fresh (blood)
عتب	III, to blame, remonstrate with

عَتَاب	blame, remonstrance
عتد	IV, to prepare, provide for the future
عتق	IV, to free
عَاتِق	shoulder
عَتِيق	old
عُثْمَان	*proper name*
عَجِبَ a عَجَبًا	to wonder at; II and IV, to excite wonder or pride, to astonish; IV, *with* ب, to admire; V, to be astonished, to marvel
عَجَب	wonderful, extraordinary
أَعْجَب	*elative of* عجب
عَجِيبَة ج عَجَائِب	a marvel, wonder
أُعْجُوبَة	miracle, marvel
عَجَزَ i	*with* عن, to be incapable of; II, to consider (someone or something) to be weak; IV, to render incapable; *with the accusative and* عن, to consider (someone) incapable of (something)
عجل	V, to take in advance, to take hastily
عَجَلَة	carriage, car
عَاجِل	transient
الدّار العَاجِلَة	the transitory—present—world
عجم	X, to be obscure, to be at a loss

عَدّ o	to count, reckon; VIII, to accomplish the period of the عِدَّة (during which a woman may not legally marry); X, to prepare, get ready
عِدّ	equal
عَدَد	number
عِدَّة	number, multitude
عَدَل i	to turn aside; *with* الى, to turn to
عَدْل	justice
عَدْل	just, *masculine and feminine*
عَادِل ج عُدُول	just, trustworthy, assessor, notary
أَعْدَل	*elative of* عَادِل
عَدَم	non-existence, absence, loss
مَعْدُوم	non-existent, lacking
عَدَا o	to transgress, pass beyond; II, to cross; III, to treat as an enemy
عَدُوّ م عَدُوَّة ج أَعْدَاء	enemy
عَدَاوَة	enmity
عُدْوَان	acting wrongfully, inimically, *verbal noun*
مُعْدِى	ferryman
عذب	II, to torture, punish
عَذْب	fresh (water)

عَذَاب punishment, torture

عَذَر i to excuse; V, to be difficult, impossible

عُذْر excuse

العذرى *proper name*

عذراء *place-name*

العَرَب the Arabs

العَرَبِيَّة Arabic

أَعْرَابِىّ ج أَعْرَاب A desert Arab, Bedouin

عَرِج a to incline, to turn

عُرْس wedding

عَرْش throne (of God)

عَرَض i to happen to, to present, offer; *with* ل, to turn against, attack; *with the accusative and* ل *or* على, to present or expose (something) to (someone); II, to offer, propose; *with* ب, to make allusions to, to hint at; IV, *with* عن, to shun, turn away from; *with* ل, to attack; V, *with* ل, to oppose; to turn from

عَرْض width

عَرَض ج أَعْرَاض accident (as opposed to substance)

عَارِض cheek

عَرِيض wide, full

عَرَف i to know, recognise, acknowledge, be acquainted with; II, to make to know, inform

أَعْرَف	more knowledgeable
مَعْرِفَة	science, knowledge, gnosis
مَعْرُوف	well known, good deed
عِرْق ج عُرُوق	root
اَلعِرَاق	Iraq
عَرَكَ o	to rub, scrape
مُعْتَرَك	battle-field
عُرْوَة ج عُرًى	handle
عَارٍ	naked
عُرْيَان	naked
عَزَّ i	to be great, powerful; IV, to make great, glorious to love
عِزّ	nobility, glory
عِزَّة	power, greatness, glory
عَزِيز	dear, mighty, high (of price)
أَعَزّ	*elative of* عزيز
عُزْلَة	secluded or solitary life
عَزَمَ i	to resolve upon, to intend to
عَزِيمَة	intention
عَسْكَر	army, troops

مُعَسْكَر	camp
عَسَى أَن	perhaps
عُشْر	one-tenth
عَشَرَة م عَشْر	ten
عِشْرون	twenty
عَاشُورَاء	the ninth or tenth day of the month of Muḥarram
مَعْشَر	collection, assemblage of persons
عشى	V, to take supper
عَشَاء	supper
عَصْر	afternoon, afternoon prayer
عَصَف i عَصْفًا	to blow violently (wind)
عَصْفَر	to dye yellow
عُصْفُور ج عَصَافِير	sparrow, small bird
أَعْصَل	twisted, crooked
عَصَا	staff
مَعْصِيَة	disobedience
عَضّ a	to bite
عَضُد	arm, upper arm
عُضْو ج أَعْضَاء	limb (of the body)

عَطْعَطَ	*with* بِ, to roar with laughter at
عطب	II, to damage, injure
عطل	II, to deny the divine attributes
عطا	IV, *with a double accusative*, to give (something) to (someone); X, to seek a gift from
عَطَاء ج أَعْطِيَات	gift, pay, allowance
عَظُمَ o	to be or to become great, large; II, to hold as great, honour; X, to judge a thing to be great, monstrous
عِظْم	bulk, size, greatness
عَظْم ج عِظَام	bone
عُظَام	huge
عَظِيم ج عِظَام	great, large, important
أَعْظَم م عُظْمَى	*elative of* عَظِيم
عَظِيمَة	serious affair, grave matter
مُعْظَم	main part of
عفّ	*with* عن, to abstain from, be free from
عفر	II, to sprinkle with dust
عِفْرِيت ج عَفَارِيت	demon
عَافِيَة	good health
عَقْب	heel

عَقْبَ و بِعَقْبِ	after, following upon
عَقَبَة	mountain path
عَاقِبَة	result, sequel
عَقِيب	follower, successor
عَقِيبَ	after
عُقُوبَة	punishment
عَقَدَ i	to ratify, conclude (a treaty); III, to make an arrangement with; VIII, to believe a thing firmly
عِقْد	necklace
مُعْتَقَد	article of faith, belief
عَقِير	wounded, hamstrung
عَقَلَ i	to be intelligent, to understand, to draw rein, to shackle (a camel)
عَقْل	intellect
عَقْلِيّ	intellectual
عَاقِل	intelligent
مَعْقِل ج مَعَاقِل	refuge, stronghold
عِكْرِمَة	*proper name*
مُعْتَكِف	one that stays long
عِلَّة ج عِلَل	cause
عَلَّة ج عَلَل	thing needed, need

علج	III, to tend (the sick)
عِلْج	foreigner, ass
عَلَف	fodder
عَلِيف	stall fed, fat
مَعْلَف	manger
علق	II, to suspend, hang up, to connect; V, *with* ب, to be attached, connected to
عَلْقَم	colocynth, bitter plant
عَلِم a	to know, to have knowledge; II, to teach; IV, to mark, to distinguish oneself; *with the accusative and* ب, to inform (someone) of (something); *with the accusative and* أنّ, to inform (someone) that; V, to learn, to be learned
عِلْم ج عُلُوم	knowledge, science
عَلَم ج أَعْلَام	sign, mark, way mark, standard, flag
عَالِم ج عُلَمَاء	learned
عَالَم ج عالمون	world, men, crowd of men
عَلِيم	learned, omniscient (God)
أَعْلَم	*elative of* عَالِم
عَلَامَة	mark, sign
مُعَلِّم	teacher
علا	VI, to be exalted

عَالٍ و عَلِيّ	high
أَعْلَى م عُلْيَا	*elative of* عالٍ
عُلُوّ	height
عَلَى	on, upon, over, against, at, in addition to, in charge of
عَمَّ o	to be general, to include or affect the whole of, to be common to
عَمّ	paternal uncle
اِبْن عَمّ	cousin
عَامّ	common, the common people
عَامَّة	common people, generality of people
عَامِّيّ	general, common
عِمَامَة	turban
عَمَدَ i	*with* الى, to have recourse to; VIII, to rely on, trust in, to betake oneself to
عِمَاد	tent pole, pillar
عَمَرَ o	to inhabit, to thrive, to build, to make prosperous; II, to make prosperous, make to thrive, repair
عَمْر	life
لَعَمْرِي	by my life!
عمر و عمرو	*proper names*
عُمْرَة	visit to the Ka'ba

عَامِر	prosperous, thriving, cultivated
أَعْمَر	*elative of* عَامِر
عِمَارَة	cultivation, building, the cultivated—civilised—world
مَعْمُور	inhabited, cultivated
المَعْمُور	the inhabited world
عَمِل a	to do, to work, to perform, to make; *with* على, to set about (a job), to apply oneself to; X, to employ, to seek to have made, to have made
عَمَل ج أَعْمَال	action, work, province
عَامِل ج عُمَّال	governor, prefect
أَعْمَى ج عُمْيَان	blind
عِنَان	rein, bridle
عِنْدَ	at, beside, with, in the opinion of
عُنُق ج أَعْنَاق	neck
عَنَى i	to mean
مَعْنَى ج مَعَانٍ	meaning, sense
عَهْد	agreement, contract, time, epoch, oath, acquaintance
عَاد o	to return; III, to come back to, to repeat; IV, to make to come back, restore
عَادَة	custom, habit

عُود	wood
عُوَيْد	small piece of wood
عِيد	festival
مَعَاد	returning, coming back, *verbal noun*
مُعَاوَدَة	*verbal noun* عاد III
مَعَاذ	refuge
مَعَاذَ ٱللهِ	God forbid
عاض	II, to give in exchange for
عَائِلة	family
عَيِّل ج عِيَال	family, household
عان	III, to help, assist; IV, *same sense*; VI, to help one another; X, *with* ب, to seek help from
عَوَان	renewed, repeated
عيّ	IV, to be tired
عَيْب	defect
عَيْث	damaging, doing mischief, *verbal noun*
عار	II, to reproach, to harm
عيسى	*proper name*
عَاش i	to live
عَيْش	life, living

مَعَاش و مَعِيشَة ج مَعَايِش	means of life, livelihood
عَيْن ج أَعْيُن	eye, evil eye, misfortune, water spring
غَابِر	remaining
غبط	VIII, to be happy, satisfied, content
غَدْر	treachery
غَد	next day
غَدًا	tomorrow, later on
غُدُوّ	morning
غُرُور	delusion, vanity
غَرَب o	to go away, to set (sun); V, to be abroad, to be a stranger; VIII, to emigrate, to leave one's country
غَرْب	west
غَرْبِيّ	western
غَرِيب م غَرِيبَة	stranger
غَرِيبَة ج غَرَائِب	marvel, wonder
مَغْرِب ج مَغَارِب	place where the sun sets, west
مُغَرْبَل	sifted
غَرِيزَة ج غَرَائِز	nature, natural disposition
غَرَس i	to plant

غَرَق	drowning, *verbal noun*
غَرِم a	to pay
غَزْنَة	*place-name*
غَزَا o	to make a raid on
غَزْوَة	raid, expedition
غسل	II, to wash
غَشِيَ a	to come to
غَشِيَ a	to cover, conceal; IV, *same sense*
غُشِيَ عَلَيْهِ	to faint
غَشُوم	unjust, tyrannical
غَصَبَ i	to seize, take forcibly
غُصْن ج أَغْصَان	branch
غَضِبَ a	to be angry; IV, to anger
غَضَب	anger
غَضْبَان	angry
مُغْضَب	hot-tempered, angry
غُنَّة	sufficiency
مَغْفِرَة	forgiveness
غَلّ ج أَغْلَال	manacle
غَلَّة	crops, seed produce

غَلَب i	to overcome; *with* على, to conquer, to get the upper hand over; *with the accusative and* على, to take (something) from (someone) by force
تغلب	*proper name*
غلظ	II, to make difficult, to make forcible, solemn (an oath)
غَلِيظ	thick, coarse, rough, severe (pain)
أَغْلَظ	*elative of* غليظ
غُلَام ج غِلْمَان	boy, young man, page
غالٍ	dear, expensive
غَلَى i غَلْيًا و غَلَيَانًا	to boil
غَمّ ج غُمُوم	sorrow, grief
غَمَامَة	cloud
غَامِر	overflowing
غَامِضَة	what is hidden, secret
غَمِيق	deep
غُمْلُول ج غَمَالِيل	wooded valley, shady place
غَنَم ج أَغْنَام	sheep, goats
غَنِيمَة ج غَنَائِم	booty, spoil
غنى	II, to sing; IV, to enrich; *with* عن, to do instead of; X, to become rich; *with* عن, to do without, dispense with

غِنًى	wealth, riches, sufficiency, adequacy
غَنِيّ	rich
غَنِيّ عن	able to do without
غَنَاء	sufficiency
غَار ج غِيرَان	hole, cave
مَغَارَة ج مَغَائِر	cave
غَوَايَة	error, folly
غَايَة	extremity, utmost limit
غَاب i	to be absent, hidden from; *with* عن, to pass out of sight of, to pass from (the memory); V, to disappear
غَيْبَة	absence
غَيْث	plentiful rain
غَار	V, to be changed
غَيْر	other than, except
غَيْضَة ج غِيَاض	wooded swamp, thicket
غَيْط	field, garden
غَاظ i	I and IV, to distress, to anger
ف	*copula*, and then, so
فَإِنّ	for

فُؤَاد	heart
فَتَحَ a	to open, conquer
فَتْح ج فُتُوح	victory, conquest
مِفْتَاح ج مَفَاتِيح	key
فَتَرَ o i	to become tepid, to abate
فَتِيلَة	wick
فِتْنَة ج فِتَن	discord, civil war
فَتًى	youth, young man, page
فَجّ ج فِجَاج	mountain track, ravine
فَجْر	daybreak, dawn
فخر	VIII, to boast of, glory in
فَخْر	boasting, *verbal noun*
فَاخِر	splendid, glorious
فَادِحَة	disaster
فِدَاء	ransom
فَرَّ i	to fly, to run away
فِرَار	flight
فرج	IV, *with* عن, to go away from, to evacuate
فَرْج ج فُرُوج	gap
فَرِحَ a	to be glad, to rejoice

فَرْخ ج فِرَاخ	the young of a bird or beast
فَرد	alone, matchless
مُنْفَرِد	solitary
فَرَس	horse
الفُرْس	the Persians
فَارِس ج فَوَارِس و فُرْسَان	rider, horseman
الفَارِسِيَّة	the Persian language
فَرْسَخ ج فَرَاسِخ	parasang
فَرَش o i	to spread
فَرْش	carpet, covering, mattress
فِرَاش	bed, mattress
فَرِيضَة ج فَرَائِض	injunction, divine precept
تَفْرِيط	prodigality, excess
فَرْع ج فُرُوع	branch, derivative
فَرَغ o a فَرَاغًا	to be vacant, empty, finished; *with* مِن, to finish something
فَرَق o i	to separate, make a distinction; II, to share out, distribute; III, to part from, leave; V, to be scattered; VIII, to be separated
فِرْق	division, distinction
فَرِيق	band of men, party

فِرْقَة ج فِرَق	sect, party
مُفَارَقَة	*verbal noun* فرق III
الفَرَنْج و الإِفْرَنْج	the Franks
فَرَى i	to cut off, to cut away
فِرْيَة	lie, imposture
فَزِع a	to come for refuge, to be roused
فَزَع	fear, fright
فَسَاد	ruin, corruption
فَسْفَسَاء	mosaic
تَفْسِير	explaining, writing a commentary, *verbal noun*
فُسْطَاط	large tent
الفسطقة	*place-name*
فَصِيح	eloquent, pure (of speech)
فَصْل ج فُصُول	section, division, chapter
فِضَّة	silver
فَضَح a	to disgrace
فضل	II, to show favour to, to prefer; IV, to favour
فَضْل	favour, grace, merit, superiority, excellence
فَاضِل ج فُضَلَاء	virtuous, learned, distinguished, good
أَفْضَل	*elative of* فَاضِل

فُضُول	folly, intrusiveness
تَفَضُّلَة	kindness, favour
فِطَانَة و فِطْنَة	intelligence, understanding
فَعَل a	to do
فِعْل ج أَفْعَال و فِعَال	deed, action
فَقْر	poverty
فَقِير	poor
فَقَط	only
فَكَر i	to think, reflect; V, *same sense*
فِكْر	thought
فلت	IV, to escape
فَلَّاح ج فَلَّاحُون	peasant
فَيْلَسُوف ج فَلَاسِفَة	philosopher
فُلَان	so and so (a definite but unnamed person)
فَم ج أَفْوَاه	mouth
فنّ	VIII, to be divergent
فَنِى a	to pass away, perish; IV, to make to pass away, destroy
فَانٍ	evanescent
فَنَاء	passing away, annihilation

فهم	II, to make to understand
فَوْت	passing
فَاحَ o	to spread, be diffused (scent)
فَارَ o	to boil, *intransitive*
فَازَ o	*with* ب, to obtain
فاض	II, to entrust
فُوق	arrow notch
فَوْقَ	over, above
فُول	beans
فِى	in, into, amongst, together with
فاض	IV, to pour out
فَيْفَى ج فَيَافٍ	desert
فِيل	elephant
قُبَّة	dome
قَبَح	II, to make foul, ugly, to defile; X, to disapprove of
قَبِيح	ugly, foul, disgraceful
أَقْبَح	*elative of* قبيح
قَبْر ج قُبُور	grave, tomb
قَبَضَ i قَبْضًا	*with accusative or* على, to grasp, seize, arrest

قَبِلَ a	to accept, receive; II, to kiss; III, to compensate, recompense; IV, to come forward, advance; *with* على, to set about something; X, to receive
قَبْلَ	before
مِن قِبَلِه	on his behalf, from his side
قَبِيلَة ج قَبَائِل	tribe
مُقَابِل	opposite
مُقَابَلَة	*verbal noun* قبل, III
قتادة	*proper name*
قَتَلَ o قَتْلاً	to kill; III, to fight against; VIII, to fight with one another
قِتْلَة	method of killing
قِتَال	war, battle, fighting
قَتَّال	killing, murderous
قَدْ	*particle used with a following perfect to stress a definite past action or a recent past action; with a following imperfect*, sometimes
قَدَرَ i o	to be able, to be powerful; *with* على, to have power over; to decree (something) (God); II, to suppose, conjecture, predetermine something (God), to trace the bounds of
قَدَر ج أَقْدَار	measure, quantity, power, divine decree
قِدْر	pot, *common gender*
قَدِير	powerful

مِقْدَار ج مَقَادِير	size, quantity, amount
قدس	II, to hallow, sanctify
قادس	Cadiz
بَيْتُ المُقَدَّس	Jerusalem
قَدِمَ a o قُدُومًا	to precede, to come to, arrive at, to return (from a journey); II, to give precedence over, to put first, to present, make to come forward; IV, to advance, to make to come forward, bring to; V, to advance, precede, to be before; *with* الى, to enjoin upon
قَدَم ج أَقْدَام	foot
قَدِيم ج قُدَمَاء	old, ancient
قَدِيمًا	in ancient times
مُقَدَّمَة	vanguard
قَذَفَ i	to throw
قَرَّ i	to be cool, refreshed (eye); *with* ب, to acknowledge; II, to establish, write down (a fact); *with* ل *and the accusative*, to settle (something) on (someone); IV, to set up, establish; X, to be settled, to be at rest
قُرّ	coolness, cold
مُسْتَقَرّ	resting-place, fixed station
قَرَأَ a o	to read
القُرْآن	the Qur'ān

قَرِبَ a	to come near to, to be near; II, to bring near, show favour to; III, to approximate, come near to; V, *with* الى, to seek the favour of; VI, to come near to one another, to approach; VIII, to be near to
قُرْب	proximity
قِرْبَة	water skin
قَرِيب	near, close to
أَقْرَب	*elative of* قريب
قَرَابَة	relationship, proximity
قَرْبُوس	saddle bow
قرح	VIII, to invent, choose, ask for
قرض	VII, to be cut off, pass away
قرطاجنة	Carthage
قَرَعَ a	to knock at
قَرَنَ i	to couple, join
قَرْن ج قُرُون	horn, age, generation
قِرْن ج أَقْرَان	peer, equal
قَرِين	companion, associate
قَرْيَة ج قُرًى	village, town
قسطنطينوس	Constantine
قسم	VI, to divide a thing with one another; VII, to be divided

قِسْم ج أَقْسَام	division
قِسْمَة	share, allotment
القشيرى	*proper name*
قِصَّة	story
قَصَب	gold or silver thread
قَصَدَ i قَصْدًا	to intend, to go towards
قَصِيدَة ج قَصِيد	ode
مَقْصُود ج مَقَاصِيد و مَقَاصِد	goal, aim, intention
قَصَرَ o	to confine, curtail; II, to be unfit (for work); IV, to scamp, be remiss in (work); VIII, *with* ب *and* على, to confine (someone) to (something)
قِصَر	shortness
قَصْر ج قُصُور	castle
القُصَيْر	*place-name*
قَصِير	short
أَقْصَر	*elative of* قَصِير
قَيْصَر	Caesar (title applied to Byzantine emperors)
قصا	IV, to remove, make remote
أَقْصَى	farther

قضب	VIII, to extemporise
قَضَى i	to perform, fulfil, settle (an affair); to decree (fate); VII, to pass away; VIII, to require, exact
قَاضٍ	judge
قَضَاء	decree (of God)
مُقْتَضَى	what is required, necessitated
قَطُّ	ever; *with a preceding negative*, never
قِطّ	cat
قُطْب	pole, pole star
قَطَر o	to drip
قُطْر ج أَقْطَار	region, flank, zone
قَطْرَة	drop
قَطَع a	to cut, to suppress, to break with (a person), to cross; IV, to grant as an allowance; VII, to be cut off, severed, ended
قِطْعَة ج قِطَع	piece cut off, fragment
إِقْطَاع	assignment of a fee, fee assigned
قَطِيعَة	breaking of relationship, forsaking
إِقْطَاعَة	allowance, fee
القطيفة	*place-name*
قُطْن	cotton
قَعَد a	to sit; IV, to make to sit

ذو القَعْدَة	eleventh month of the year
قَاعِدَة	capital city, base
قفجاق	Qifc͟hāq tribe
قَفْر	desert
قُفْل	lock
قَافِلَة ج قَوَافِل	caravan
قَفَا	nape of the neck
قَافِيَة ج قَوَافٍ	rhyme, verse, ode
قَلَّ ما	it is seldom that
قِلَّة	paucity, small number
قَلِيل	few, little
أَقَلّ	*elative of* قَلِيل
قَلَب i	to turn over, to reverse; II, *same sense*; VII, to be reversed
قَلْب ج قُلُوب	heart
قلد	II, to imitate, follow the opinion of; *with a double accusative*, to invest (someone) with (something); V, to put on, gird oneself with
قَلَع a	to strip off, to drive away
قَلْعَة ج قِلَاع	castle, fortress
قَلَق	anxiety, restlessness

إِقْلِيم ج أَقَالِيم	clime
قَمَر	moon
قَمِيص ج قُمْصَان	shirt, gown
مِقْمَعَة ج مَقَامِع	iron column, iron club
قَنْطَرَة	bridge
قنع	VIII, to be content with
قَنَاة	spear
قَهَر a	to conquer, subdue
قَات o	to feed, sustain
قَاد o مَقَادَة	to lead; VII, to be tractable, to obey
قَوْس ج قِسِيّ	bow
قَال o	to say; *with* ب, to profess (a doctrine)
قَوْل ج أَقْوَال	saying, speech
مَقَال	saying
قَام o قِيَامًا	to rise, stand; *with* ب, to undertake (something); II, to set upright, to put in order; IV, to make to stand, place, establish, to remain; X, to be upright, in a favourable condition
قَوْم	tribe, nation, people
قِيمَة	value, price
قَائِمَة ج قَوَائِم	pillar, foot (of an animal)

قِيَامَة	resurrection
مَقَام	place, rank, dignity, position
قُونَة	icon
قَوِى a	to be or to become, strong
قَوِىّ	strong
قُوَّة	power, strength, faculty
قَيْس	*proper name*
قِيَاس	comparison, analogy
كَ	*prefixed particle*, as, like
كَأَنَّ	like as though that
كبد	V, to reach the middle of
كَبُر o	to be great, momentous; II, to glorify God
تَكْبِيرَة	glorification of God (consisting of saying: اللهُ أَكْبَرُ)
كَبِير	great, old
أَكْبَر م كُبْرَى	*elative of* كبير
الأَكَابِر	the chiefs, leaders
كَتَب o كِتَابًا و كِتْبَةً	to write; VIII, *with* من, to copy down from
كَاتِب	scribe
كِتَاب ج كُتُب	book, letter

مَكْتَب ج مَكَاتِب school

كَتْف shoulder blade, shoulder

كَثُر o to be numerous; II, to make to increase

كَثِير numerous, much

كَثِيرًا often

أَكْثَر *elative of* كثير

كَثْرَة large number, abundance

كُحْل antimony, collyrium

كَدّ o to tire

كَذَا like that, so, such

كَذَب i to lie; II, to deny, give the lie to

كرّ II, to repeat

كَرَّة attack, charge, returning

تَكْرَار repetition

كَرْب anxiety, grief

كربلاء *place-name*

كرث VIII, to be distressed, to care about

كُرْدِىّ م كُرْدِيَّة Kurdish

كُرْسِىّ chair, throne

كرم IV, to honour, to ennoble

كَرْم ج كُرُوم	vine
كَرِيم ج كِرَام	noble, generous
أَكْرَم	*elative of* كريم
مَكْرُمَة	noble or generous action
كَرْمَان	*place-name*
كَرِه a	to disapprove of, to dislike
مَكْرُوه	disagreeable, unpleasant
كُزَاغَنْد ج كُزَاغَنْدَات	tunic, cuirass
كَسَب i	to earn, acquire; VIII, *same sense*
كَسَد o	to lack a ready sale and so depreciate (goods)
كَسَر i	to break, rout; II, to smash
كِسْر	skirt of a tent, corner, side
كُسَيْرَة	small broken piece (of bread)
كَسَف i	to be eclipsed
كَسَا o	to clothe someone
كَسِيَ a	to clothe oneself
كِسْوَة	set of clothes
كِسَاء	cloak, robe
كاشغور	*place-name*

كَشَفَ i	to uncover, explore; VII, to be uncovered, disclosed
كعب	*proper name*
الكَعْبَة	the Ka'ba
مُكَعَّب	cube
كَفَّ o	to collect
كَفّ	desisting from, *verbal noun*
كَفّ ج كُفُوف	palm of the hand
كفأ	III, to requite someone
مُكَافَأَة	requital
كَافِر ج كُفَّار	unbeliever
كَفَّارَة	atonement
كفرطاب	*place-name*
كفن	II, to wrap in a shroud
كَفَن	shroud
كَفَى i	to suffice; *with a double accusative*, to suffice (someone) as regards (something)
كَوْكَب ج كَوَاكِب	star
كلّ	II, to crown
كُلّ	all, every
كُلَّمَا	whenever, as often as, whatever

كَلْب ج كِلَاب	dog
كلف	II, to require (someone) to perform a hard task, impose it on (someone)
كلم	II, to speak to, to address; V, to speak
كَلَام	speech, words
كَلِمَة	word, poem
كَمْ	how much, how many, *exclamatory and interrogative*
كَامِل	perfect
أَكْمَل	*elative of* كامل
كَمَال	perfection
كَمِين	ambush
كَانُون الأَوَّل	December
كَانُون الثَّانِي	January
كِنْدَة	*name of a tribe*
كَنَس o	to sweep
كَنِيسَة ج كَنَائِس	Christian church
كَنَف ج أَكْنَاف	side, flank, district
كنى	II, to address by a surname, honorific name
كُنْيَة	surname, honorific name
كَاهِن م كَاهِنَة	diviner, wizard, priest

كَادَ a	to be about to, almost to do
كَارَ	II, to darken
كُور	period of 150 years, age
الكوفة	*place-name*
كَانَ o كَوْنًا	to be
مَكَان	place
مَكَانَة	place, state, rank
كَيْ	in order to
كَيْلَا	lest
كَيْتَ و كَيْتَ	such and such
كَيْد	deceit, stratagem
كَيْفَ	how?
كَيْفِيَّة	mode
لِ و لَ	to, belonging to, for, on account of, in order to
لِمَ	why?
لَ	*corroborative particle*, surely, certainly
لا	no, not
لُؤْلُؤَة ج لَآلِيء	pearl
لَأْمَة	breast-plate
لَبِثَ a	to delay, wait

لَبِسَ a لُبْسا	to put on (clothes), to wear; V, *same sense*
مَلْبَس ج مَلَابِس	clothing
لَبَن	milk
لَبِنَة	brick
لثم	V, to veil the lower part of the face
لَجُوج	obstinate
لِجَام	bridle
مُلْحِد	atheist, heretic
لَحِسَ a	to lick
لَحْظ ج لِحَاظ	sidelong glance
لِحَاظ	watching, *verbal noun*
مِلْحَفَة ج مَلَاحِف	covering, waist-wrapper
لَحِقَ a	to come up to, to cleave to
لَحْم	flesh
لِحْيَة	beard
لَخْم	*name of a tribe*
لَدْغ	stinging, pricking, *verbal noun*
لَدَى	at, in the presence of
لذّ	X, *with* ب, to take pleasure in
لَذَّة	pleasure, delight

مَلَذَّة ج مَلَاذّ	pleasure
a لَزِم	to be incumbent upon; IV, to make incumbent upon; VIII, *with* ب, to take upon oneself, to be obliged to
لِسَان ج أَلْسُن و أَلْسِنَة	tongue, language
لَاصِق	sticking, adhering
لُطْف	favour, grace
i لَطَم	to slap
لَعْب	game, sport, play
لُعَاب	drivel, mucilage
لَعَلّ	perhaps
a لَعَن	to curse
مَلْعُون ج مَلَاعِين	accursed
لُغُوب	tiredness, fatigue
لُغَة ج لُغَات	word, dialect, language
o لَفّ	to mix; *with the accusative and* ب, to join to; VIII, *with* ب, to wrap oneself in
لفت	VIII, *with* إلى, to turn towards, to show regard to
لَفْظ ج أَلْفَاظ	word, expression
لقب	II, to give someone a nickname
لقط	VIII, to pick up

لَقِيَ a لِقَاءً و لُقِيًّا	to meet; II, *with a double accusative*, to provide (something) for (someone); IV, to throw, to throw down, to propound (a problem or riddle) to; X, to lie back
اللكز	*place-name*
لَمْ	not
لمّ	IV, *with* ب, to approach
لَمّا	when
لمس	VIII, to seek, request
لَنْ	not
لَهِجَ a	*with* ب, to set store by, be addicted to
لهم	IV, to inspire (God)
لها	II, to divert; V, *with* ب, to be entertained by, to be pleased with
لَهْو	play, sport, entertainment
لَهَات ج لَهَوَات	uvula
لَوْ	if
لَاحَ o	to appear, to shine; II, to alter the complexion
لَائِحَة ج لَوَائِح	appearance
لَامَ o	to blame; II, *same sense*
لَوْم و لَائِمَة و مَلَامَة	blame, reproof
لَوِيَ a	to deviate

لَيْت would that!

لَيْتَنِي would that I —.

لَيْث lion

لَيْس not, is not

أَلْيَق more suitable, more becoming

لَيْل night, *collective*

لَيْلَة ج لَيَالٍ a night

مَا not

مَا what, *interrogative and indefinite*

كَمَا as

مِائَة و مِئَة hundred

ماجوج Magog, *proper name*

متع V, *with* ب, to enjoy

مَتَاع goods

مَتَى when

مِثْل like, likeness

مِثَال pattern, likeness

مجد II, to glorify, praise

مَجْد glory, nobility

مَجُوس Magians, *collective*

مُحَمَّد	Muḥammad
محن	VIII, to test, try
مِحْنَة	trial, suffering
مَحَا o مَحْوًا	to erase, efface
مَدَّ o	to stretch out
مَدَد	reinforcement, supplies
مُدَّة	space of time
مَدَح a	to praise
مَدِينَة ج مُدُن و مَدَائِن	town
المَدِينَة	al-Madīna, *place-name*
مدى	VI, to last long
مذ	*see* منذ
مَرَّ o	to pass; *with* على *or* ب, to pass by (someone); IV, to make to pass; X, to continue, persevere
مَرَّة ج مِرَار و مَرَّات	one time, once
مِرَارًا	frequently, often
مَرَارَة	bitterness
مارتمريم	Lady Mary, the Virgin Mary
مَرْء	man
مَرْأَة و اِمْرَأَة	woman, wife

مَارِج	clear smokeless fire
مَرِح a	to be lively
مَارِد ج مَرَدَة	unbeliever, rebel
مَرِيض ج مَرْضَى	ill
مرغ	V, to anoint oneself with oil, roll in the dust
مَرْوَان	*proper name*
مُزْن	rain cloud
مَسّ a	to touch
المَسِيح	the Messiah
مِسَاحَة	surveying, *verbal noun*
مسعود	*proper name*
مَسَكَ o i	to grasp, hold, withhold, keep; IV, to refrain from, to stop
مِسْك	musk
مسى	IV, to be in the evening, to become
مَسَاء	evening
مَشَى i	to walk; VI, to walk together
مِشْيَة	gait
مَاشِيَة ج مَوَاشٍ	quadruped; *in the plural*, cattle, flocks
مِصْر ج أَمْصَار	town

مِصْر	Egypt
مَضَض	grief, distress
مَضَى i مُضِيًّا	to go on, to pass (time)
مَاضٍ	past
مطر	IV, to send down rain upon
مَعَ	with
المسعودى	*proper name*
معن	*proper name*
مَكَّة	Mecca
مَكَث o	to remain, to stay
مكن	II, *with the accusative and* من, to put (something) in the power of (someone); IV, to be possible to; *with* من, to obtain power over; *with the accusative and* من, to empower (someone) over (something); V, to have a firm footing in, to be able to
ملّ	IV, to dictate something to
مَلَل	weariness, disgust
مِلَّة ج مِلَل	religion
مَلَّة	ashes
خُبْزَة مَلَّةٍ	bread baked in hot ashes
مَلَأ a	to fill
ملح	II, to salt

مَالِح	salty
مَلَّاح	sailor, boatman
مَلِيح	salty, salted
مَلَكَ i مَلْكًا و مُلْكًا	to own, possess, conquer; II, to appoint as king
مَلَك ج مَلَائِكَة	angel
مَلِك ج مُلُوك	king
مَلِكَة	queen
مُلْك	kingdom, property
مَمْلَكَة	kingdom
مَلَكُوت	kingdom, empire
ملا	IV, *with a double accusative*, to dictate (something) to (someone)
مَنْ	who, *interrogative and indefinite*
مِنْ	from, of, out of; *after a comparative*, than
مِمَّا	from what (for مِنْ مَا)
مَنَّ o	to give, confer a favour; VIII, *same sense*
مَنُون	death, time
يَدَ المَنُون	for ever
المَنَانِيَّة	the Manicheans
مَنَحَ i a	to give

مُنْذُ و مُذْ	since
مَنَعَ a	to deny, prevent, to ward off, defend, protect; VIII, *with* من *or* عن, to abstain from, refrain from, refuse
مَنْع	refusal
اِمْتِنَاع	obstinacy
مَنِيَّة ج مَنَايا	death, fate
مُهْجَة	heart's blood, soul
مهاجر	*proper name*
مهد	V, to be smoothed out, facilitated
مَاهِر ج مَهَرَة	skilled, experienced
مهل	IV, to grant a delay to, to delay
مَهْمَه	desert, wildness
مَاتَ o	to die
مَوْت	death
مَيْت و مَيِّت	dead
مِيتَة	manner of death
مَوْج	wave
مُوسى	Moses
الموصل	Mosul, *place-name*
مال	II, to give money to, to enrich

مَال ج أَمْوَال	wealth, money, property
مَاء	water
مِيرَة	supplies, provisions
ماز	II, to discriminate
مَال i	to incline
مِيل ج أَمْيَال	mile, milestone
نأى	VI *and* VIII, to be distant from
نبأ	IV, to inform, announce
نَبِيّ ج أَنْبِيَاء	prophet
نَبَت o	to grow, sprout
نَبَات	plant, vegetable
نَبَح a i	to bark at
نَبِيذ	wine
نبل	IV, to ripen, to have ripe dates
نتج	IV, to produce
نَتِيجَة	result, consequence
نثر	VIII, to be scattered
نِجَاد	sword belt
نَجِيع	blackish blood (from the inner parts of the body)
نَجْم ج نُجُوم	star

نَجَا o	to be saved, to escape; IV, to save, rescue
نَحْب	fixed term, death
قَضَى نَحْبَه	to die
نَحَر a	to cut the throat of, to slaughter
نُحَاس	copper, brass
نَحِيف	lean
نحا	V, to stand aside
نَحْو	grammar
نَحْوَ	towards, about
نَاحِيَة ج نَوَاحٍ	side, region, district
مِنْخَر	nostril, nose
نَخْل	palm trees, *collective*
نخلة	a palm tree, a date palm
نِدّ ج أَنْدَاد	an equal, a like
نَدَب o	to incite, summon
نَادِر	rare
نَادِرًا	rarely
نَادِرَة ج نَوَادِر	rarity, curiosity
نَدِم a	to regret, repent
نَدَم	repentance

ندا III, to call, summon

نَدِيّ generous, liberal

نَدِيّ الكَفّ open handed

نَدًى generosity

نَزَعَ i to strip off; *with* الى, to yearn for; III, to desire, yearn for; VIII, to strip off

نِزَاع yearning, *verbal noun*

نَزَلَ i نُزُولًا to come down, to come down to, descend, dismount; III, to come down upon; IV, to make to go down, to send down

مَنْزِل ج مَنَازِل lodging, house, stopping-place, stage

مَنْزِلة rank, dignity

نِسَاء women, *plural*

نَسَبَ i o to trace (a pedigree); to attribute to

نِسْبَة relationship, proportion

بِٱلنِسْبَة إِلَى in relation to

نَسَجَ i to weave

نسخ VIII, to copy out, write down

تَنَاسُخ transmigration of souls

مَنْسِك ج مَنَاسِك rites of pilgrimage

نَسْل posterity, descendants; *also as a verbal noun*, the begetting of descendants

نَسِىَ a	to forget
نَسِىّ	forgetful, forgotten
نِسْيَان	forgetfulness
مَنْسِىّ	forgotten
نَشَأَ a	to grow up, to be produced
مَنْشَأ	place of origin, source
نُشَّاب	arrows, *collective*
نُشَّابَة	an arrow
نَشَرَ o	to spread, to be flowing (hair); VIII, to be spread, scattered
نَشَاط	cheerfulness, liveliness
نَشِيل	thin blade
نَشِىَ a	VIII, to be giddy (through the effects of wine)
نَصَبَ o	to set up
مَنْصُوبَة	something set up, an idol
نَصَحَ a	to give advice to, to be sincere, to act as a sincere friend
نَاصِح	sincere adviser
نَصَرَ o	to aid, assist, make victorious; V, to become a Christian; VI, to corroborate one another (reports)

نَصْر	aid, victory
نَصْرَانِىّ م نَصْرَانِيَّة ج نَصَارَى	Christian
النَّصْرَانِيَّة	Christianity
مَنْصُور	*proper name*
نصف	IV, to act fairly; VI, to treat each other as equals
نِصْف	half
نصيبين	*place-name*
نضد	II, to pile up
نَضَا o	to take off; VIII, to draw (a sword)
نَطْع	leather cloth; mat on which criminals were beheaded
نَطَق i	to speak; *with* ب, to say
مَنْطِق	logic
مِنْطَقَة	girdle, belt
نَظَر o	to look, look at, see; III, to discuss with; VIII, to await, expect
نَظَارَة	spectacle, sightseeing
اِنْتِظَار	expectation, awaiting, *verbal noun*
أَنْظَر	more regardful of

نَظِير ج نَظَائِر	corresponding to, like
نظف	II, to clean
نَظَم i	to set in order, to write (poetry); VIII, to be set in order
نِظَام	order, arrangement
نَظِيم	rhyme, verse
نَعَت a	to describe
نَعْل	sandal, shoe
نَعَم o a	to rejoice; IV, *with* على, to be gracious to; V, to lead a pleasant life
نِعْمَ	*verb of praise*, how excellent is
نَعَمْ	yes
نِعْمَة	grace, favour
نَعِيم	favour, delight
نعمان	*place-name*
نَعَى a	to announce the death of
نَعْى و نَعِيّ	announcement of death
نَفَث i o	to blow out, to emit
نَفِد a	to be used up, to fail, cease
نَفَذ o	to pass through, to traverse; II, to send through, to dispatch; IV, to send out, dispatch, transmit

نَفَاذ	making effective, carrying out, *verbal noun*
نَفَر i o	*with* عن, to shun, turn away from; III, to dislike, shun; X, to summon to war
نَفَر	person, individual, party of from three to ten men
نِفَار	aversion
نُفُور	shunning, dislike
نَفْس ج أَنْفُس	soul, self
نَفِيس ج نَفَائِس	precious
نَفْط	oil, naphtha
نَفَع a	to be profitable, useful, to; VIII, *with* ب, to profit by
نَفْع	usefulness, profit
نَافِع	useful
أَنْفَع	*elative of* نافع
نفق	IV, to spend; X, *same sense*
نَفَقَة	expenses, expenditure
نِفَاق	hypocrisy
مَنْقَبَة ج مَنَاقِب	distinguished quality, attainment, merit
نقح	II, to prune, to trim
نقد	VIII, to receive in cash
نَقْر	beating (of a drum), *verbal noun*

نُقْرَة	melted gold or silver, ingot
نَقْص	decrease, loss
نَقَضَ o نَقْضًا	to break (an agreement)
نَقَلَ o	to convey, transport; II, to make to move, to convey (news); VIII, to emigrate
نَقْل	translation, *verbal noun*
نَقَّال	swift running
نِقْمَة	revenge, punishment
نَكَتَ o	to trace, to drag something on (the ground)
نِكْث	untwisted threads
نِكَاح	marriage
نكر	IV, to find fault with, disapprove of
نَكَلَ o i	*with* ب, to punish someone as a warning to others
نَكَال	exemplary punishment
نِمْرُود	Nimrod
نَامُوس ج نَوَامِيس	law
نَهْب	plundering, *verbal noun*
نَهْر ج أَنْهَار	river, canal
نَهَار	day
نهش	VI, to bite one another

نَهَضَ a	to rise up
نَهَا o	to forbid; VIII, *with* الى, to end at, come to
نَاهٍ	sufficient; *with a following accusative*, it is sufficient as
نَابَ o	*with* عن, to substitute for; VIII, to come to by turns or periodically
نَائِب	lieutenant, substitute
نُوح	Noah
ناخ	IV, to make to kneel (a camel)
نَار ج نِيرَان	fire
نُور ج أَنْوَار	light, radiance
نُورَة	tar, pitch
مَنَار	waymark, landmark
نَاس	people
نَوْع ج أَنْوَاع	species, kind, class
نَيْف	excess; *with* عن, something more than
مُنِيف	high, tall
نَاقَة	she-camel
نال	III, *with a double accusative*, to hand over (something) to (someone); VI, to take, receive
نَامَ a o	to sleep

نَوْم	sleep
مَنَام	sleep, dream
نُون	fish
نَوًى	remoteness
نَوَاة ج نَوًى	date stone
نِير	yoke
نيقفور	Nicephorus
نَيْل	attainment, *verbal noun*
نِيل	the Nile
هَا	*demonstrative prefix*
هٰذَا م هٰذِه	this
هٰكَذى و هٰكَذَا	like this, thus
هَاهُنا	here
هُبُوب	blowing, *verbal noun*
هُبَيْرة	*proper name*
هَبْنِى	*see* وهب
هَبْوَة	dust storm
هَجْر و هِجْرَان	separation, forsaking
هَاجِرَة	noon heat
هدّ	II, to threaten; V, *same sense*

هَدَمَ i هَدْمًا	to demolish
هُدْنَة	truce
هَدَى i	to guide on the right course; IV, to give, present
هَدِيّة	gift
هَادٍ ج هُدَاة	guide, leader
هَذَيَان	raving, nonsense
هَرَّ i	to whine (of dogs)
هَرَبَ o	to run away, fly
هَرْب	flight
هرقل	Heraclea, *place-name*. Heraclius
هَرِمَ a	to become decrepit, senile
هارون	*proper name*
هُزَال	emaciation
هَزَمَ i	to rout, put to flight; VII, to be routed
هَزِيمَة	rout
هَشْم	crushing or being crushed (of plants), *verbal noun*
هَيْكَل ج هَيَاكِل	temple
هَلْ	*interrogative particle*
هلال	*proper name*

هَلَكَ i — to perish, die, to destroy; IV, to destroy

هَلَاك — destruction

هَلُمَّ — come hither, come on

هَمَّ o — to consider, intend

هَمّ — concern, anxiety

أَهَمّ — more important

هِمَّة — ambition, aspiration

هَامَّة ج هَوَامّ — reptile, worm

هَمَدَان — *name of a tribe*

هَمَدَانِيّ — belonging to the tribe of Hamadān

هَنِيئًا لَكَ — may you enjoy it!

الهِنْد — India, the Indians

مُهَنَّد — made of Indian iron (sword)

هَنْدَسَة — geometry

هَنْدَسِيّ — geometrical

هُنَا — here

هُنَالِك — there

هُوَ — he, it

هود — *proper name*

هَان o — to become easy to; VI, *with* ب, to despise, scorn

أَهْوَن easier, lighter

هَامَة ج هَام owl

هَوًى ج أَهْوَاء desire, love

هَوَاء air

هِيَ she, it

هاء II, to prepare

هَيْئَة shape

عِلْم الهَيْئَة astronomy

هَيْبَة awe, respect

هَاتِ give, bring, *imperative*

وَ *conjunction*, and

وَبَاء plague

وَثَبَ يَثِبُ to leap up, to spring; *with* على, to attack

وَثِقَ يَثِقُ to trust

ثِقَة trust

ثِقَة ج ثِقَات trusty

وَثِيق firm, steady, resolute

وَثَن ج أَوْثَان idol

وَجَبَ يَجِبُ to be necessary; II and IV, to make necessary or incumbent

وَاجِب	duty, obligation
وَجَدَ يَجِدُ	to find, to experience (an emotion); IV, to create, produce
وَجْد	love, ecstasy
وُجُود	existence
وَجَمَة	silence caused by fear or grief
وجه	II, to send; *with* الى, to direct oneself to, aim at; V, to go; *with* الى, to go towards
وَجْه ج وُجُوه	face, way, manner, honour, regard, reason
وُجُوه النَّاس	the chief men
عَلَى وَجْهِهِ	*ventre à terre*
تَوْجِيه	induction
وَحْد	*with suffixes*, alone
وَاحِدم وَاحِدَة	one
وَحْدَانِيَّة	unity (of God)
وَحْل ج أَوْحَال	slime
وحى	IV, to reveal
وَخْز	pricking, *verbal noun*
وَدَّ a	to wish, will
مَوَدَّة	love
وَدَعَ يَدَعُ	to let, permit, leave, leave be; II, to take leave of; III, to be reconciled

وَدَاع	farewell, leave-taking
مُوَادَعَة	*verbal noun* ودع III
وَادٍ	river bed, valley
وَرَاء	behind
وَرَدَ يَرِدُ	to come to, arrive at; IV, to mention, adduce
وِرْد	portion of the Qur'ān recited daily
وَرْس	saffron
وَرْطَة	danger, difficulty, distress
وَرَق	leaves
ورى	VI, to conceal oneself, to be out of sight of
وَزِير ج وُزَرَاء	vezir, minister
وَزْن	metre of verse
مَوْزُون	metrical verse
وَسْوَسَ	to whisper, to prompt to evil
وسط	V, to be in the middle of
وَسْط	middle
وَسِعَ يَسَعُ	to hold, encompass; IV, *with a double accusative*, to spread (something) abroad amongst, to affect (someone) greatly with (something); VIII, to be in easy circumstances
وَاسِع	broad, capacious

أَوْسَع	*elative of* واسع
سَعَة	width
وَسَق يَسِق	to contain; *with a double accusative*, to load (something) on (something)
وسم	V, to be marked, branded
وَاشٍ	slanderer
وَصَف يَصِف وَصْفًا	to describe, to prescribe, to characterise
صِفَة ج صِفَات	description, qualification
وَصَل يَصِل وُصُولًا	to reach, arrive at, to be on friendly terms with; II, to deliver (something) to (someone); IV, to make continuous; V, *with* على, to reach to, attain; VI, to be connected, continuous; VIII, to be continuous, uninterrupted; *with* ب, to reach
وُصْلَة	conjunction, bond
وِصَال	union
صِلَة	connection
وصى	II, *with* ب *and the accusative*, to recommend (something) to (someone); IV, to enjoin
وضأ	V, to wash, perform a ritual ablution
وَضَع يَضَع	to place, put, lay down, deposit
وَضْع ج أَوْضَاع	manner, situation
مَوْضِع ج مَوَاضِع	place

وَطَّن نَفْسَهُ على	to prepare oneself for
وَعَدَ يَعِد	to promise
وَعْد	promise
وَعْر	ruggedness
وَعْر م وَعْرَة	rugged
وغل	IV, *with* في, to penetrate deeply into
أَوْفَر	more abundant
وفق	II, to consider fit, suitable, to help (of God); III, to suit, to agree with; VIII, to agree upon
وَفَى يَفِي	to fulfil; *with* ب, to be worth; III, to come to, to come up; V, to cause to die (God), to die; X, to insert fully
وَقْت ج أَوْقَات	time
لِلْوَقْت	immediately
وقد	II, to light, kindle; IV, *same sense*; VIII, to be lighted
وَقَعَ يَقَع وُقُوعًا	to fall, to take place; *with* على, to settle on (of a bird); V, to expect, await
وَقْع	blow
وَاقِع	happening, event
وَقْعَة	encounter, conflict
وَقِيعَة ج وَقَائِع	battle, attack

تَوْقِيع	decree
وَقَفَ يَقِفُ وُقُوفًا	to stand still, to stop; *with* على, to be informed about, to take note of, to abide by; *with* ل *or* على, to wait for; III, *with the accusative and* على, to inform someone of; IV, to make to stop; V, to hesitate; *with* عن, to refrain from; *with* على, to wait for
مَوْقِف	stopping-place, station
اَلْمَوْقِف الأَعْظَم	the supreme station, the Last Judgement
وقى	VIII, to fear (God)
وَقَاء	defence, guard
وكأ	VIII, to recline on the side
وكل	II, to put in charge of; V, to put one's trust in
المُتَوَكِّل	*proper name*
وَلَدَ يَلِدُ وَلْدًا	to give birth to, bring forth; IV, to procreate, produce; V, to be born
وَلَد ج أَوْلَاد	child, son
وَلَد و وَلْد	offspring
وَالِد	father
وَالِدَة	mother
الوليد	*proper name*
مَوْلُود	what is born, child

ولع — V, *with* ب, to be eager to blame, to find fault with; to covet

وَلْع — coveting, desiring to find fault with, *verbal noun*

وَلِيَ يَلِي — to be the friend of, to have charge of; II, to put in charge of, to make ruler over, to retire, turn back; VI, to be consecutive; X, *with* على, to get control over

وَلِيّ ج أَوْلِيَاء — saint, friend

وَالٍ — governor, friend, helper

أَوْلَى — fitter for, more entitled to

وِلَايَة — state, province, kingdom

مَوْلَى — master, lord

وَهَبَ يَهَبُ — to give

هَبْنِي — suppose that I, granted that I...

وهم — II, to make someone think, suspect; VIII, *with the accusative and* ب, to suspect (someone) of (something)

وَهْم — imagination

وَيْحَ — *interjection*, oh! woe to!

يَأْس — despair

يَابِس — dry, withered, thin

ياجوج — Gog, *proper name*

يَتِيم ج أَيْتَام — orphan

يحيى *proper name*

يَد ج أَيْد hand

يزِيد *proper name*

يسر II, to facilitate, to prepare something for

يَسَار left-hand side

يُسْرَى left side

يَسِير easy, small, few

يعقوب *proper name*

يافث *proper name*

يقظ X, to be awake

يَقْظَان awake

يقن X, to believe, think to be true

اليمن the Yemen

يَمَانِيّ Yemenite, belonging to the Yemen

يَمِين ج أَيْمَان oath

يَمِين right-hand side

يُمْنَى right hand

يانس *proper name*

اليَهُود the Jews

يَهُودِيّ Jewish

يَوْم ج أَيَّام day

يَوْمَئِذٍ at that time, then

يونس *proper name*

يُونَان Greece

اَلْيُونَان the Greeks

يُونَانِيّ Greek

NOTES

1. *A History of the Prophets and Kings*

(١) ابتلاء "as a test". For this use of the adverbial accusative see Wright's *Arabic Grammar*, II, 121A *seq.*

(٢) و يا آدم . . . الظالمين Qur'ān 2. 33.

(٣) كُلَا dual imperative of أَكل.

(٤) فتكونا "lest you become". For the subjunctive with فَ, see Wright, II, 30C.

(٥) ابليس Iblīs—the personal name of the Devil.

(٦) بن for ابن, see Wright, I, 23C.

(٧) عن "on the authority of".

(٨) ناس من أصحاب lit. "people of the companions"; i.e. some of the companions.

(٩) صلّى الله عليه و سلّم "may God bless him and give him peace". The perfect is optative.

(١٠) عليهما "against the two of them"—i.e. for their disadvantage.

(١١) كلّمها أن "he spoke to it (asking it) to...".

(١٢) حجّةً "as a proof", see Wright, II, 122A *seq.*

(١٣) لم يكن . . . من نبيّ . . . إلّا "there was not...of a prophet... except"—i.e. there was no prophet except....

(١٤) هود و صالح Hūd and Ṣāliḥ were prophets sent to the peoples of Ād and Thamūd respectively.

(١٥) أصحاب النجوم i.e. the astrologers.

(١٦) يقال له lit. "it is said to him"—i.e. named.

(١٧) كذا و كذا "such and such".

(١٨) إلّا ما كان من lit. "except what there was of..."—i.e. except for

(١٩) جعل لا تلد امرأة غلاما ... i.e. he began to act in the following way; no woman gave birth to a boy....

(٢٠) ليلا "by night", see Wright, II, 109 C.

(٢١) أى رَبِّ "O my Lord", for أى ربّى, see Wright, II, 87 B.

(٢٢) فاتّخذ سبيله فى البحر "so it took its way to the sea", see Qur'ān 18. 60.

(٢٣) فإذا هما بشجرةٍ "suddenly they were confronted with a tree". For the use of إذا ب to introduce something that appears suddenly or unexpectedly, see Wright, II, 157 D.

2. *The Fables of Luqmān*

(١) إلى بعض المغائر "to some one of the caves"—i.e. to a certain cave.

(٢) هو ذا أنا "it is I". ذا serves to make the phrase more vivid. For an analogy see Wright, II, 312 B.

(٣) هذه الجرزة الحطب "this load—the firewood". الحطب is a permutative (بَدَلٌ), see Wright, II, 284 D.

3. *The Arabian Nights*

(١) على حاله "forthwith".

(٢) هنيئا لك "may you enjoy it!"—i.e. a good luck to you! For the accusative see Wright, II, 72 D.

(٣) أنا دائما للحرث "I am perpetually (used for) tilling...".

(٤) قال "He finished speaking". The verb serves in place of a punctuation stop to mark the end of the direct speech.

(٥) مكانه "in his (the bull's) place".

(٦) مسلوخَ...مثيا the accusatives describe the state of the ass; see Wright, II, 112 C.

(٧) قاعدا بطولى i.e. seated stretched out at my ease.

(٨) اذا بشيخ see p. 3, n. 23.

(٩) تحمانى a polite request

(١٠) للّٰه "for God's sake".

(١١) أنُوشِرْوَان Anūshirwān, Sassanian king of Persia, A.D. 531–78.

(١٢) حيث أنّه lit. "where that it is now"—i.e. in the present state of things.

4. *Kalīlah and Dimna*

(١) مطون other versions give the town's name as منطور — مطرون.

(٢) منها the suffix refers to the town (المدينة).

(٣) بنصف درهم "for half a dirham". The ب is the so-called bā' of price (باء الثمن).

(٤) فَلْنَنْصَرِف "let us go away". For the prefixed فَلْ, see Wright, II, 35 C.

(٥) أن يكونَ عينا علينا "lest he should be an evil eye against us"—i.e. lest he should bring us bad luck.

(٦) قروناد other versions give the king's name as فويران — قربوان.

(٧) ذوى الرأى i.e. the wise.

(٨) أليس أعظم لآخرتى "is it not more important with respect to my after-life...?".

5. *A History of the Caliphs*

(١) البيهقى a traditionalist of Nisabūr (A.D. 994–1066).

(٢) الدلائل the reference is to Baihaqī's work *Kitāb Dalā'il al-Nubūwwa*.

(٣) أسلم a freedman of 'Umar ibn al-Khaṭṭāb.

(٤) عمر ‘Umar ibn al-Khaṭṭāb, the second caliph, who died in the year A.H. 23/A.D. 644.

(٥) عجبا لك for the accusative, see p. 7, n. 2.

(٦) تزعم أنّك و أنّك "you hold such an opinion of yourself".

(٧) قال "the narrator (i.e. ‘Umar) continued".

(٨) لا يمسّه . . . المطهّرون Qur’ān 56. 78.

(٩) فما زلت بها i.e. "I did not cease importuning her".

(١٠) بسم for بأسم.

(١١) رجعت إلى نفسى i.e. "I recovered myself".

(١٢) سبّح لله الخ . . . الأرض Qur’ān 57. 1.

(١٣) آمنوا . . . رسوله Qur’ān 57. 7.

(١٤) لا إلٰهَ see Wright, II, 98 A.

(١٥) أبو جهل بن هشام an opponent of Muḥammad, subsequently killed at the battle of Badr.

(١٦) قال the subsequent invocation shows the speaker to be Muḥammad.

(١٧) أنس ’Anas ibn Mālik, a noted traditionalist and a personal servant of Muḥammad.

(١٨) الحسن Ḥasan of Basra, a well-known theologian (d. A.D. 728).

(١٩) منها sc. الغشية, "the fainting fit", i.e. "recovering from his swoon only after a period of days".

(٢٠) و الله "by God". The و introduces the oath, its following noun being in the genitive (see Wright, II, 175 B).

(٢١) اك 1st person singular jussive of كان.

(٢٢) الحسين al-Ḥusain, the second son of the caliph ‘Alī.

(٢٣) يزيد Yazīd ibn Mu’āwiyah, the second ’Umaiyad caliph (A.D. 680–3).

(٢٤) كتب . . . بقتاله "he wrote (giving orders) to fight against him".

(٢٥) اربعة الاف i.e. أربعة آلآف رجلٍ.

(٢٦) بكلمةٍ "with a (foul) word".

(٢٧) أتاه the pronominal suffix refers to Harūn ar-Rashīd, son of al-Mahdī, caliph from A.D. 786 to 807.

(٢٨) نيقفور Nicephorus, emperor of Byzantium A.D. 802–11.

(٢٩) ريني Irene, Nicephorus' predecessor on the imperial throne.

(٣٠) أمّا بعد "to continue"—the conventional beginning to the text of letters.

(٣١) دون أن "much less".

(٣٢) ليومه "immediately".

(٣٣) كانت عزوة مشهورة i.e. كانت الغزوة غزوةً Harūn's expedition to Heraclea took place in A.D. 804.

(٣٤) ما أكذبكم for the exclamatory form see Wright, I, 98 C.

(٣٥) معاوية the first 'Umaiyad caliph.

(٣٦) مروان Marwān ibn al-Ḥakam, later himself caliph from A.D. 684–5.

(٣٧) لا راعى for the construction see p. 16, n. 14.

(٣٨) والذى . . . أُخرج Qur'ān 46. 16.

6. *Spain*

(١) تناصُفا منهم "each being of equal status with the others".

(٢) نِعْمَ ما "how excellent is that which...". For verbs of praise and blame see Wright, I, 97 A.

(٣) ذلك البرّ "the mainland" throughout this passage refers to Africa.

(٤) الجزيرة الخضراء the "green island" is Spain.

(٥) على مستدقّ بمقدار رجليه فقط i.e. "on (a pedestal) so narrow as to accommodate only its two feet".

(٦) حتّى سقط حتّى is used here in the sense of "but that", "except that".

7. *Africa*

(١) مروان بن الحكم Marwān ibn al-Ḥakam was a cousin of the caliph ʿUthmān.

(٢) عبد اللّٰه بن سعد ʿAbd Allah ibn Saʿd, a foster brother of ʿUthmān, and appointed by him to the governorship of Egypt.

(٣) لخم أو جذام Lakhm and Judhām were two Arabian tribes.

(٤) شك عبد الرحمان "ʿAbd ar-Raḥmān (i.e. the author himself) was uncertain (to which tribe the man belonged)".

(٥) قال "he (i.e. Marwān) continued".

(٦) هل لك إلى صديق لى هاهنا "Would you like to go to a friend of mine here?"

(٧) أى شيء قرابتك من "what is your relationship to...?".

(٨) صاحبك i.e. the caliph.

(٩) أو كما قال an interjection by the narrator, "or however it was that he phrased it".

(١٠) لعثمان ʿUthmān ibn ʿAffān, the third caliph, who was killed in A.H. 35/A.D. 655.

(١١) لا تحدثت a negative optative.

(١٢) تبوك Muḥammad's expedition to Tabūk on the Byzantine frontier took place in A.H. 9.

(١٣) سهما سهما "one lot (of the booty) each". The booty was divided into a certain number of units to ensure fair distribution.

(١٤) أو منزلتك منّى an interpolation by the narrator, who is not sure which term was actually used.

(١٥) عبد الملك بن مروان ʻAbd al-Malik ibn Marwān, caliph from A.D. 685–705.

(١٦) البتر a Berber tribe.

8. *The Wonders of the World*

(١) فها أنا ذاهب إلى "here am I going to...".

(٢) عند الله بمكانة "occupy a high position in God's eyes".

(٣) استخراج خطّين من خطّين على نسبة متوالية the phrase may be paraphrased as "the construction of two mean proportionals between two given lines". For the derivation of this story and its mathematical implications, see W. W. R. Ball, *Mathematical Recreations*.

(٤) هل من حاجة for هل لك من حاجة.

(٥) المسعودى Masʻūdī, a celebrated historian and geographer of the fourth century A.H.

(٦) لا يرون الفرار أصلا i.e. they never entertain the notion of flight.

9. *Maʻn ibn Zāʼida*

(١) المنصور al-Manṣūr, the second ʻAbbāsid caliph, who reigned from A.D. 754–75.

(٢) جعل فيه مالا i.e. he set a price on his head.

(٣) يزيد بن عمر بن هبيرة Yazīd ibn ʻUmar ibn Hubeira was murdered after surrendering to al-Manṣūr at Wāsiṭ in A.D. 751.

(٤) باب حرب one of the city gates of Baghdād.

(٥) أبى جعفر Abū Jaʻfar was the kunya of al-Manṣūr.

(٦) يوم الهاشمية a riot took place at Hāshimīya in A.H. 141, the caliph being attacked by members of a Persian sect called Rawendīya.

(٧) الربيع a freedman of al-Manṣūr.

(٨) لله أبوك the phrase expresses admiration by attributing the object of the admiration to God. It is here the equivalent of "son of an excellent father".

(٩) ربيعة و اليمن the North and South Arabian factions respectively.

(١٠) معن بن زائدة metre Kāmil.

(١١) بنو شيبان i.e. Ma'n's tribe.

(١٢) إن عدّ أيّام الفعال the phrase is derived from the practice of listing the "days" (i.e. the days of battle or battle honours) of Arabian tribes.

(١٣) ما زلت الخ metre Kāmil.

(١٤) لله درّك من أعرابىّ see Wright, II, 138 B.

10 *The Sun and the Moon*

(١) أبى ذر Abū Dharr al-Ghifārī, a companion of the prophet, celebrated as a preacher and an ascetic.

(٢) من سماء إلى سماء i.e. through each of the seven heavens in turn.

(٣) قوله the subsequent invocation shows that the pronominal suffix refers to God.

(٤) و الشمس تجرى لمستقرّلها . . . ذلك تقدير العزيز العليم Qur'ān 36. 38.

(٥) إذا الشمس كوّرت Qur'ān 81. 1.

(٦) جعل . . . نورا Qur'ān 10. 5.

(٧) المغرب i.e. صلاة المغرب "the evening prayer".

(٨) ابن عبّاس 'Abd Allah ibn 'Abbās, a cousin of Muḥammad, and of great celebrity as a jurist and traditionalist.

(٩) وسخّر . . . دائبين Qur'ān 14. 37.

(١٠) ما أجراه see p. 20, n. 34.

(١١) ما شاء اللّٰه the phrase expresses the indefiniteness of the length of time.

(١٢) فى سابق علمه "in his fore-knowledge".

(١٣) وجعلنا . . . مبصرة Qur'ān 17. 13.

(١٤) وجدها . . . حمئة Qur'ān 18. 84.

11. *Observations on Warfare*

(١) أتابك the Atābek referred to is Zangī of Mawṣil.

(٢) أنا the author is a certain Usāma ibn Munquidh, a Syrian of high reputation both as a soldier and as a littérateur. He was born in A.H. 488/A.D. 1095.

(٣) القطيفة a town some distance to the north-east of Damascus.

(٤) صلاح الدين Ṣalāḥ al-Dīn Muḥammad ibn Ayūb al-Ghisyānī, not the celebrated Saladin.

(٥) ثلاثين أربعين "thirty or forty".

(٦) عن أمرك آخذ i.e. if you order me, I shall....

(٧) كذا وكذا ممّن "so and so to one who...". Usāma conceals the actual curse used by Ṣalāḥ al-Dīn.

(٨) شيزر a stronghold in North Syria on the Orontes.

(٩) وادى حلبون the Wadī Ḥalbūn lies to the north of Damascus.

(١٠) ما بقى يندفع "it could not be made to move forward any more".

12. *India*

(١) متى رامها أحد "when anyone seeks (to learn) it".

(٢) محوجة . . . صفات "requiring to be qualified by additional epithets if they are to serve their purpose (i.e. become intelligible)".

(٣) ثمّ داخلهم . . . من بابها i.e. the law-givers tried to influence the mass of the people through their attachment to idols.

13. *The Caliph al-Walīd*

(١) الوليد al-Walīd succeeded 'Abd al-Malik as caliph (A.D. 705–15).

(٢) عمر بن عبد العزيز 'Umar ibn 'Abd al-'Azīz, caliph A.D. 717–20, was at this date governor of Arabia.

(٣) إنّ . . . يعقلون Qur'ān 49. 4.

(٤) صاحب البريد the officials in charge of the posts acted, in the main, as agents of the caliphs' intelligence service.

(٥) الواقدى al-Wāqidī, an Arab historian, who lived from A.H. 130 to 207.

(٦) مائتى ذراع فى مائتى ذراع "two hundred by two hundred cubits".

(٧) ملك الروم Justinian II.

(٨) فيها the suffix refers to the year (السنة).

(٩) ففهمناها . . . علما Qur'ān 21. 79.

God has Honoured Us

(١) The author was a native of Medina, a contemporary and supporter of Muḥammad.

(٢) Metre Kāmil.

(٣) فيه جماجم . . . الهام the souls of the slain were believed by pre-Islamic Arabs to emerge from their skulls in the form of owls. The skulls lying on the battle-field are here represented as egg-shells from which the owls have come. عن may be paraphrased as "left by".

14. *Ḥunain ibn Isḥaq*

(١) فى مناقب الاطباء "in (his book entitled)...".

(٢) حنين Ḥunain ibn Isḥāq, a Nestorian Christian (d. A.H. 260/A.D. 873). He was noted both as a physician and as a translator of Greek works.

(٣) الخليفة the caliph is not named throughout the following anecdote. He was most probably al-Ma'mūn (d. A.D. 833).

(٤) و هذه قصّة the narrative that follows is quoted from the autobiographical writings of Ḥunain himself.

(٥) بختيشوع بن جبرئيل Bokhtīshū' ibn Djabra'īl, a member of a family of Christian court physicians of Baghdād.

(٦) المتوكّل al-Mutawakkil, caliph A.D. 847–61.

(٧) أبا زيد Abū Zaid was Ḥunain's kunya.

(٨) شىء "something (of importance)".

(٩) ما أحسن هذه الصورة see p. 20, n. 34.

We were Kings of the People

(١) Metre Ṭawīl.

(٢) شَكْلُ for شَكْلٌ, see Wright, II, 368 C *seq.*

15. *Consolatio Amoris*

(١) يرفعه the pronominal suffix refers to the tradition (الحديث).

(٢) فكونوا الخ metre Ṭawīl.

(٣) ألا لله الخ metre Wāfir.

(٤) لله دهر see p. 35, n. 8.

Dearer to Me...

(١) Metre Wāfir.

(٢) The authoress was a member of the desert tribe of Kalb and was married to Mu'āwiya, the first of the 'Umaiyad caliphs.

(٣) مُنِيف see p. 55, n. 2.

16. *A Traveller's Tales*

(١) The author is describing a journey made to the territory of the "Turks, Khazars, Russians and Slavs".

(٢) هذا المرسى on the river Ātil.

(٣) منه the river Jāwshīr.

We Forgave

(١) Metre Hazaj.

(٢) The author was a member of one of the branches of the tribe of Bakr. His poem refers to the celebrated war of Basūs which was fought between the tribes of Taghlib and Bakr at the end of the fifth century A.D.

(٣) بنى هند i.e. the tribe of Taghlib.

(٤) كانو for كانوا.

17. *The Mongol Invasion*

(١) بقيتُ the author was the historian Ibnu'l-'Athīr (d. A.D. 1234).

(٢) ياجوج و ماجوج Gog and Magog, two barbarian tribes, whose ravages will mark the coming of the end of the world.

(٣) الدجّال the Antichrist who will conquer the world except for Mecca and Medina.

(٤) ما وراء النهر i.e. Transoxiana.

(٥) من الأمم i.e. من الأمم أمةٌ.

(٦) خروج الفرنج the reference is to the fifth crusade.

(٧) سنةً "in respect of the year...".

(٨) خوارزمشاه محمد Muḥammad ibn Takash, Khwārazm-shāh A.D. 1200–20.

(٩) كان مفعولا "which was accomplished (already in his fore-knowledge)".

A Lament

(١) Metre Madīd.

(٢) For the author, who was equally distinguished as a fighter and as a poet, see Nicholson, *Literary History of the Arabs*, p. 81. His poem laments the death of his uncle.

(٣) يابس ... بؤس i.e. it was his generosity and not enforced poverty that made him lean.

18. *A Divine Comedy*

(١) له the author is describing a journey through paradise.

(٢) النار i.e. hell fire.

(٣) قال ... المحضرين Qur'ān 37. 49–55.

(٤) المعروف بالمرزبانىّ Abū 'Abd Allah Muḥammad ibn 'Imrān, a scholar and littérateur, who died in A.H. 384.

(٥) فتنفث ... نعمان i.e. though the amount of poetry that could be recited by our children compared to that which we could recite could be compared to the size of a tooth-pick contrasted to that of an arak tree.

(٦) امرىء القيس Imru' al-Qais, perhaps the most celebrated of the pre-Islamic poets (see Nicholson, *Literary History of the Arabs*, pp. 103 *seq.*).

(٧) قفا . . . منزل the first hemistich of one of Imru' al-Qais' most famous odes.

(٨) ما لى أراك lit. "what is there to me (that) I see you"—i.e. why do I see you...?

(٩) الخنساء al-Khansā', a famous poetess of the Arabs, born in pre-Islamic times, lived through the rise of Islam. Ṣakhr was her brother, whose early death she lamented in her elegies.

(١٠) و إنّ الخ metre Basīṭ.

(١١) ونادى . . . الكافرين Qur'ān 7. 48.

The Length of my Longing

(١) Metre Munsariḥ.

(٢) The author was one of the court poets of the 'Abbāsid caliph, Harūn al-Rashīd.

Come, my Friend!

(١) Metre Ṭawīl.

(٢) The author was a pre-Islamic poet of the tribe of Ṭayy.

(٣) يك for يكن.

19. *Saif al-Daula*

(١) سيف الدولة Abū Ḥasan 'Alī Saif al-Daula was a member of the Hamdānid family. He became ruler of Aleppo and died in A.H. 356.

(٢) قتل ابيك Abū 'Abd Allah al-Barīdī killed his brother Abū Yūsuf, the father of Muḥammad ibn Yāqūb, the narrator of the present story.

(٣) ابن طغج Ibn Tughdj al-Ikhshīd, ruler of Egypt, who died in A.H. 334/A.D. 946.

(٤) فإن قدرت على ذلك the apodosis (sc. "well and good") has been omitted.

(٥) أخى Nāṣir al-Daula, ruler of Mosul.

(٦) يزيح هو علّتهم i.e. to be equipped by him.

(٧) على ما بى "as I was".

(٨) بتأريخ يومين "dated two days previously".

(٩) بين يديه "(go) before him"—i.e. show him out.

(١٠) دنحا Danḥā, a lieutenant of Nāṣir al-Daula.

(١١) تخفيفا "to alleviate (possible annoyance)".

(١٢) وقائعى مع الاخشيدية Saif al-Daula captured Aleppo in A.D. 744.

We guard our Own

(١) Metre Kāmil.

(٢) The author was a pre-Islamic poet of the tribe of Asad.

(٣) نلف بين "we provide for the needs of" (Sir Charles Lyall).

(٤) لما رايتَ 'Abīd is addressing the poet Imru'al-Qais.

(٥) غير جدّ كرام "not noble to any great extent".

(٦) قيصرا i.e. the emperor of Byzantium.

I say to my Soul

(١) Metre Wāfir.

(٢) The author was one of the early leaders of the Khāridjite sect.

(٣) لها the pronominal suffix refers to النفس, understood.

(٤) فصبرا see p. 7, n. 2.

20. *The Stations of the Mystic*

(١) أوقفنى the term refers to the mystical stations or places of contemplation to which the mystic is led. The subject of the verb is God.

(٢) الخفيّ الغابر i.e. الخفيّ هو الغابر.

(٣) قال the subject is God.

(٤) قال the subject is God.

(٥) فاستيقظى the feminine refers to the soul (النفس) understood.

Quḍā'a Knows

(١) Metre Mutaqārib.

(٢) The author, one of the most famous of Arabic poets, lived from A.D. 915–65 (see Nicholson, *Literary History of the Arabs*, pp. 304 *seq.*).

(٣) قضاعة one of the subdivisions of the South Arabian tribe of Ḥimyar.

(٤) خندف one of the descendants of Quḍā'a.

(٥) إذا كنت . . . لا أرانى "when I am surrounded by dust (so thick that) I cannot see myself".

The Exile

(١) Metre Ṭawīl.

(٢) The author was the first 'Umaiyad caliph of Spain, and reigned from A.D. 756 to 788.

(٣) الرُصافة a district of Cordova.

(٤) شبيهى i.e. أنتَ شَبِيهِى